PREMIÈRES AMOURS

Des histoires de filles

Mélikah Abdelmoumen

Nelly Arcan

Myriam Beaudoin

Fanny Britt

Marie-Chantale Gariépy

Catherine Lalonde

Claudia Larochelle

Corinne Larochelle

Sophie Lepage

la courte échelle

PREMIÈRES AMOURS

Collectif

Mélikah Abdelmoumen
Nelly Arcan
Myriam Beaudoin
Fanny Britt
Marie-Chantale Gariépy
Catherine Lalonde
Claudia Larochelle
Corinne Larochelle
Sophie Lepage

la courte échelle

Mélikah Abdelmoumen

Sucti
Les lèvres de Mars

Daniella était la plus belle fille brune de notre école. La plus belle blonde, c'était moi.

Tout chez elle était rond. Les boucles de ses cheveux bruns, qui faisaient un soleil autour de sa tête, ses seins, ses hanches. Ce qu'ils appellent des rondeurs, elle en avait. En veux-tu ? en voilà ! Comme si la nature avait su pourquoi on l'avait mise au monde et quels attributs il lui fallait pour passer non seulement pour une femme, mais aussi pour une de ces femmes auxquelles les humains des deux sexes sont incapables de résister.

Chez moi, en revanche, tout est long et droit. Les cheveux, d'abord. Mais également les jambes, le torse, les bras. J'ai des doigts longs et fins. On dit que même mon regard est long. Mes seins, eux, sont très gros et très ronds. Là aussi, la nature savait ce qu'elle faisait!

Il y a une autre chose qu'elle avait bien conçue, la nature : elle nous avait parfaitement programmées, Daniella et moi, pour que nous soyons complémentaires et inséparables jusqu'à la mort. Car chez nous, dès la puberté, on doit tout vivre à deux. Le professeur Melchior nous l'a bien martelé : « La longue et glorieuse histoire de notre espèce tient à ce que, contrairement aux autres, nous savons nous associer pour la vie à un complice et nous y tenir, sans s'empêtrer dans le sentimentalisme ou la sensiblerie. »

Enfin, c'était ainsi entre Daniella et moi, jusqu'à l'arrivée de Mars dans notre vie. Notre Mars qui est un garçon, pas une planète. Mars qui a tout foutu en l'air avec son regard glacial, son visage fermé, ses lèvres de fille et ses grandes mains blanches. Car voilà, Daniella est morte juste à l'âge où on nous laisse enfin fonctionner par nous-mêmes là-haut, à la surface, loin des grottes souterraines où nous avons grandi. Daniella, morte avant de pouvoir vivre pour vrai, vivre libre dans les villes et les rues et les cités dont nous rêvons depuis les galeries glauques où on nous enferme dans des écoles encore plus glauques pendant toute notre enfance glauque.

Je m'appelle Rio. Daniella et moi sommes des Sucti. Nos ancêtres ont un jour choisi, pour nous nommer, ce mot qui vient du latin *Suctus*, dérivé populaire de *sugere*, et qui signifie « sucer ». Comme un vortex, comme un trou noir, comme un vacuum, les Sucti vident littéralement leur victime de son souffle de vie. Nous sommes là depuis que le jour est jour. Nous sommes les mystérieux Adonis et les mystérieuses nymphes qui, cachés parmi vous, dominent le règne animal à votre insu. Bien sûr, nous sommes bien moins nombreux que vous, mais par comparaison vous êtes des primates, de la vermine, de pathétiques créatures souffrantes, fragiles, aveugles.

Je me souviens encore du jour où Daniella m'a fait part de l'existence de Mars. Nous avions quatorze ans et lui, que je ne connaissais pas encore, quinze. Ce matin-là, je devais aller au centre-ville pour me nourrir. En route vers le café où j'avais rendez-vous, je suis passée devant une vitrine de magasin où il y avait un petit Martien vert habillé d'un tutu rose. Qui sait pourquoi parfois je fais ce que je fais ? Je suis entrée dans ce magasin et j'ai acheté la tenue de la vitrine, que j'ai enfilée par-dessus mon jean. Dans la rue ensoleillée, les humains affichaient des airs perplexes en voyant cette longue jeune fille à la chevelure blonde, vêtue d'un tutu rose sur un jean noir usé, une veste de cuir tout abîmée et de grosses bottes d'armée... Moi, je rayonnais au milieu de la foule blasée. Parce que j'étais en « mode chasse », j'oubliais tout le reste.

Dans le café où nous avions rendez-vous, le garçon qui m'espérait m'a dit : « Je t'offre quelque chose ? » Pour toute réponse, je l'ai pris par la main et entraîné aux toilettes — elles se trouvaient tout à l'arrière, au bout d'un long corridor étroit. Même s'ils avaient été attentifs, les autres clients n'auraient donc pas pu voir la porte se mettre à remuer, d'abord doucement, puis de plus en plus violemment, comme si un ouragan était enfermé dans la pièce. Ils ne m'auraient pas non plus vue, moi, Rio, émerger des W.-C., stoïque. Ils n'auraient pas davantage pu apercevoir, coincé contre la porte entrouverte, le cadavre.

Mais ils auraient au moins pu se demander d'où venaient le bruit et le dernier cri, petit, sec et vite interrompu, du garçon. Qui sait quelle explication ils se sont inventée pour ne pas avoir à se donner de mal ? Une machine à espresso qui fait sursauter un employé en cuisine ? Un marteau-piqueur dans les toilettes ? N'importe quoi pour ne pas être arrachés à leur bulle d'ennui rassurant. Les humains ne sont jamais vigilants quand il le faudrait.

Après m'être nourrie, je suis rentrée à la maison. Daniella et moi vivions ensemble, en appartement. On nous place là quand on a quatorze ans, âge où se manifeste notre besoin de nous nourrir d'un des vôtres une fois par mois. On nous fait monter à la surface par deux, toujours du même sexe. Ne me demandez pas pourquoi, c'est une tradition, et s'il y a bien une chose que je n'ai jamais comprise... Bref, on est supervisés par notre mentor pendant un an ou deux. Le nôtre, à Daniella et à moi, s'appelait Melchior.

Pendant l'année au cours de laquelle nous avons vécu ensemble, Melchior venait souvent nous faire des visites de contrôle. Il se méfiait de nous. Mais on était malignes. On lui cachait bien toutes nos folies. Ou peut-être était-il au courant et avait-il décidé de nous laisser « faire nos expériences ». Quand Daniella a cessé de se nourrir, ça m'a fait mal de le cacher à Melchior. Je me suis quand même tue. Par amitié. Parce qu'elle me suppliait. Si j'avais su ! Sur ce coup-là, j'ai été encore plus idiote que la dernière des idiotes.

Donc, après avoir consommé le garçon du café, je suis rentrée à la maison. J'ai jeté mes clefs sur la table en disant à Daniella, assise toute seule sur le sofa : « Ça y est.

J'ai mangé. J'ai dû le laisser là, même si ce n'est pas très réglus. Tu sais ce que c'est quand ils tiennent morbido à faire plus ample connaissance au milieu de la matinée, dans un endroit public... Et toi?»

Alors, comme chaque fois, elle a rectifié: «*Réglo* et *mordicus*, Rio.»

Je l'ai mieux regardée. Elle était livide.

— Daniella, dis-moi la vérité. Tu es restée ici? Tu n'as toujours pas mangé?

Silence. Elle regardait obstinément ses petits pieds potelés.

— Daniella. Tu ne peux pas continuer comme ça. Tu vas y laisser ta pelure!

— *Ta peau*, Rio. «Tu vas y laisser *ta peau*.»

Un petit air triste a envahi son visage. Je lui ai pris les mains. Je ne savais plus comment faire pour la sortir de son nombril.

— Daniella! Tu m'avais promis que, quand je reviendrais ici, tu te serais nourrie! Qu'est-ce qui te prend?... Et je te préviens, ne recommence pas avec tes «je-ne-veux-plus-faire-de-mal-aux-Hommes-ce-n'est-pas-bien»!

Avec un sourire triste, elle m'a répondu : « Je ne veux plus faire de mal aux Hommes, Rio. Ce n'est pas bien. » Et moi, j'ai pensé : « Si elle continue, elle va me faire exploser », pour ne pas me dire : « Elle me fait mal ».

— Mais Daniella, tu n'as pas le choix !

— Je peux faire ce que je veux, Rio. C'est la seule bonne chose que la vie nous ait donnée, à nous comme à *eux* : le libre arbitre. Je ne suis plus capable de leur faire du mal, Rio. Je me déteste. Je *nous* déteste.

Là, c'était trop pour moi. Je rageais.

— T'as un problème ou quoi ?! Que ça te plaise ou non, il faut que tu te nourrisses. Tu as manqué combien de mois ?

Daniella a levé la main gauche et montré quatre doigts.

« Quatre mois ! T'es dingue ! Tu ne t'embarrassais pas de ce genre de principe à la cacahuète, avant ! Qu'est-ce qui te prend ? Daniella, on n'échappe pas à ce pour quoi on est fait ! »

— On dit « principe *à la noix* ». Et puis on n'est fait que pour une chose, Rio, ce qu'on choisit.

Si je n'avais pas déjà été assise, je serais tombée en bas du sofa.

— Oh non! On dirait que leurs livres de philosophie à deux roubignoles commencent à déteindre sur toi! C'est dangereux, Daniella!

— Dangereux ou pas, je me sens libre pour la première fois de ma vie. Si tu savais comme ça fait du bien de se sentir fragile, fatiguée, malade... presque humaine! Et puis amoureuse...

— D'abord, comment peux-tu comprendre ce que c'est de se « sentir humain »? Comment peux-tu savoir si leur vie est moins fade que...

Là, j'ai assimilé le vrai sens de ce que Daniella venait de dire. Et j'ai aperçu ses yeux, son sourire de gros cœur gonflé d'amour qui pue.

— Attends. Qu'est-ce que tu as dit? Qu'est-ce que ça fait du bien d'être, à part malade, fragile et fatiguée?

— Amoureuse, Rio. Oui. Je suis amoureuse... d'un homme!

J'ai demandé à voir quel était cet humain assez merveilleux pour rendre Daniella aussi folledingue; elle m'a emmenée au parc où elle l'avait rencontré. Cachées derrière un buisson, nous avons alors découvert, assis sur un banc public devant une œuvre d'art monumentale bizarre en pierre blanche, celui que nous étions venues observer. Il fixait des yeux la sculpture comme s'il attendait qu'elle lui apprenne quelque chose... Vous savez, avec cet air qu'ils ont, tous, quand ils se croient profonds. Il se tapotait distraitement les lèvres du bout des doigts. Il avait une bouche rose de fille, une chevelure courte et ébouriffée, l'air méchant.

— C'est LUI ? ai-je demandé à Daniella, un peu dégoûtée. Je ne vois pas ce qu'il a de plus que les autres ! Il s'appelle comment, encore ?

— Mars... Je crois...

— Comment, tu crois ? Tu grèves de faim pour lui et t'es même pas sûre de son prénom ? Et c'est quoi, d'abord, comme nom : Mars ! C'est bien d'*eux* ! Donner à leurs enfants des noms de planètes !

— Des noms de dieux, a soupiré Daniella.

Pour la secouer un peu, je l'ai prise par le bras et je l'ai entraînée en direction du banc.

— Bon. Bien... Vas-tu me le présenter, au moins ?

Elle a résisté : « Je ne le connais pas tant que ça, Rio... »

— QUOI ?! Comment tu peux dire que tu l'aimes alors ? Orgh ! Tu as trop regardé leurs films ! Tu es en train de devenir épouvantablement feuille bleue !

— *Fleur bleue*. Je sais que je l'aime, tout simplement. J'ai l'impression de le connaître. Tu ne peux pas imaginer combien de fois je suis venue ici l'observer... Et à force d'essayer de l'approcher avec mes stupides stratégies de chasse, j'ai fini par... Par ne plus vouloir faire autre chose que l'étudier, essayer de deviner qui il est.

Mars s'est mis à ranger ses affaires dans son sac. Nous nous approchions, petit à petit. Il m'énervait royalement. Comme toute sa race. Daniella continuait à me chanter des niaiseries amoureuses à l'oreille, du genre : « Ça s'est passé tout bêtement. Je ne saurais pas te dire pourquoi lui, comment lui, mais le regarder me fait souffrir physiquement. Me donne mal au ventre. »

— Daniella, on appelle ça LA FAIM !!!

Elle a continué pour elle-même, à des lieues de moi.

— Regarde-le. On voit bien qu'il n'est pas comme nous. S'il savait pourquoi j'ai commencé à venir ici ! Que c'était loin d'être un hasard ! S'il savait quel monstre je suis. Oh, Rio...

— S'il savait combien tout ça est pathétique ! Et je te conseille d'arrêter de sourire comme une citrouille. Il vient vers nous !

Mars s'est approché et a souri à Daniella. Il ne semblait pas me voir.

— Salut, Daniella. Ça va ?

— Oui.

— Tu viens d'arriver ?

— Oui...

— Dommage, je partais...

Daniella a hoché la tête, avec un sourire de petite fille, et Mars lui a demandé, avec une voix très douce pour ses yeux durs : « Tu viendras demain ? »

— Oui... Peut-être... Sûrement...

— Alors à demain, oui, peut-être, sûrement.

— Daniella. C'est ridicule ! ai-je grogné en regardant Mars partir, son ombre se découpant sur le soleil couchant, comme au cinéma dans un western spaghetti.

— Je m'en fous, Rio. Je l'aime.

Cette nuit-là, j'ai été tirée du sommeil par un râle terrible. Dans le lit, la place de Daniella à côté de moi était vide. Elle était étendue sur le sol, en sueur, à bout de forces. Je l'ai aidée à se remettre au lit et lui ai lancé un ultime ultimatum :

— De deux choses l'une : je te trouve un des pires dégueulasses, je te l'amène ici et ping ! pong ! tu nous en débarrasses, comme ça tu rends service à ta satanée bien-aimée d'humanité... Ou je raconte tout à Melchior !

Je ne l'ai pas laissée répondre. Je suis allée lui chercher une proie. Un vieux pervers dégoûtant, dans un bar.

— Je voudrais te présenter mon nouvel ami, Mike. On prenait un verre et je me suis dit : houla, il tombe à pic ! Il est parfait pour Daniella ! Alors j'ai pensé que...

Je les ai plantés là et j'ai pris mes jambes à mon cou.

Ce qui s'est passé après, je ne le sais pas exactement. Mais je peux l'imaginer. Daniella a dû dire à ce gros bêta : « Monsieur, je dois vous expliquer quelque chose et je veux que vous le répétiez à tous ceux qui se trouveront sur votre route... »

Pendant ce temps-là, sur une piste bondée, moi, je dansais, je dansais et je dansais à m'en étourdir. Je craignais que Daniella fasse exactement ce qu'elle était en train de faire. Il me fallait étourdir ma peur, alors je tournais, tournais, tournais sur la piste au son de la voix de Chris Cornell qui chantait *No one can save / The pure and the brave / No one can save them all / Grow and decay / Grow and decay / It's only forever*...*

Daniella devait en être à tout révéler au gros Mike. Je vois le portrait d'ici : incrédule et abasourdi, il tient ses délicates chevilles et regarde la tache de naissance violacée de forme ovale qu'elle a sur la plante de chaque pied, comme tous les Sucti. Elle lui dit : « Chaque fois que vous voyez ceci, prenez vos jambes à votre cou. Et si vous ne pouvez pas vous enfuir immédiatement, protégez à tout prix votre bouche ! Ne laissez sous aucun prétexte le porteur de ces marques approcher sa bouche de la vôtre. Rio vous a amené ici pour moi, parce que je refuse de prendre mon "repas" mensuel depuis maintenant cinq mois. Je ne passerai pas le cap des six. Il y a trois manières de mourir pour les Sucti : atteindre l'âge de quarante ans, refuser assez longtemps de se nourrir ou être tué par un des nôtres,

---

* « Personne ne peut sauver les braves et les purs / Personne ne peut tous les sauver / On vieillit, puis on pourrit / On vieillit, puis on pourrit / C'est seulement pour toujours »...

par succion, bouche contre bouche. Nous avons encore une chose à vous envier : le plus simple, le plus doux, le plus chaste baiser nous est interdit, parce que fatal. » Puis elle le laisse partir. Vivant, arrogant et incrédule.

Quand je suis rentrée cette nuit-là, il n'y avait plus de Mike et Daniella était morte. J'ai décidé que c'était la faute de Mars, que j'aurais sa peau. Même si c'était dans une éternité. Car je ne savais pas par où commencer pour le retrouver. Mais pour Daniella, j'étais prête à faire une chose que je ne fais pour personne, jamais : être patiente et compter sur la chance. De toute façon, la vengeance est un plat qui se mange froid, « comme sa sale gueule », ai-je pensé. Ta sale gueule, Mars, m'amour, à laquelle je rêve maintenant jour et nuit.

Deux mois plus tard, j'attendais au guichet d'un cinéma décrépit. J'ai demandé un billet pour n'importe quoi. Pendant que la caissière pianotait sur sa machine, j'ai eu la surprise de ma vie en apercevant, juste derrière moi, nul autre que ce maudit Mars, accompagné d'un vieil homme très classe qui devait avoir au moins quarante ans. Heureux hasard. Je devais me nourrir, j'avais du retard, j'étais à bout de forces, et je pourrais enfin faire payer à cet idiot le suicide de Daniella.

Dans la salle de projection, Mars et le vieil homme se sont assis au premier rang. Ils avaient choisi un film comme les loustics dans le genre du vieux les aiment, une de ces histoires de patriarche qui redécouvre sa jeunesse dans les bras d'une midinette blonde qui bat des paupières à la moindre occasion. Ça s'annonçait d'un ennui mortel, d'une vacuité sans fond déguisée en sens profond (ce que vous appelez hermétisme). Depuis la mort de Daniella, j'ai appris à préférer les livres aux films. Je pense que c'est parce que ce sont ses livres à elle, ceux qu'elle a tenus dans ses mains, sur les pages desquels elle a laissé couler ses larmes de grande romantique. Sauf que ce n'est pas en faisant le rat de bibliothèque qu'on rencontre les gens — et encore moins les proies.

Je me suis donc installée juste derrière Mars et son vieux. En cet après-midi de semaine, nous étions seuls dans cette salle de projection fatiguée. Le film à peine commencé, j'ai vu Mars se pencher vers son compagnon. Il l'a violemment attrapé par la nuque pour l'embrasser sur la bouche et un vent furieux s'est déclenché dans toute la salle, arrachant les affiches des murs. Au bout de quelques secondes, le vieil homme plus très classe s'est effondré, mort dans son fauteuil. Mars s'est retourné. Il s'est rendu compte que, moi, Rio, je le fixais avec des yeux énormes. Alors il s'est levé et a quitté brusquement la salle sous mon regard affolé. Ne sachant trop quel ton employer, je lui ai crié : « Hé, attendez ! Attends ! »

Quelques instants plus tard, je courais après Mars, qui marchait prestement sous l'orage. Je lui ai agrippé le bras. Il s'est retourné, avec son air arrogant. Ses lèvres étaient luisantes sous la pluie.

Je savais que je devais faire vite : sans prévenir, je me suis appuyée d'une main sur son épaule et, de l'autre, j'ai retiré une de mes bottes, puis ma chaussette. J'ai levé la jambe et montré la plante de mon pied. Sidéré, il a découvert la marque violacée. Nous nous sommes regardés en silence. Et alors, comme ça, tout simplement, mon pied nu posé dans sa main, en pleine rue, en pleine pluie, devant tout le monde, nous nous sommes souri.

C'est ce jour-là que j'ai commencé à avoir une idée

fixe : celle de goûter sa bouche, belle comme une grenade fendue.

Voilà, ça fait un an que Daniella est morte. Un an que Mars et moi chassons sans conviction. Il n'en est toujours pas revenu d'être quasi tombé amoureux d'une des nôtres parce qu'il la croyait humaine. Je n'en reviens toujours pas, que Daniella se soit laissée mourir pour un humain qui n'en était pas un. Mais surtout, tous les deux, on n'en revient pas de voir combien on en a plein le ciboulot de cette vie répétitive, de se nourrir une fois par mois en essayant de trouver le pire des humains pour que ça fasse moins mal, qu'on se sente moins coupable, pour avoir moins honte en imaginant ce que Daniella en aurait pensé. De quel droit et au nom de quoi choisissons-nous qui mérite le baiser de la mort ?

J'ai su il y a peu que Melchior a brièvement été le tuteur de Mars aussi, mais que cela s'est très mal terminé, entre autres parce que Mars avait refusé d'être jumelé à qui que ce soit, qu'il a absolument voulu faire cavalier seul. Il paraît que c'était la première fois qu'un Suctus de notre génération donnait tant de fil à retordre à un mentor. Quand je pense que Mars et moi avons tous deux été les pupilles de Melchior, que nous aurions pu nous connaître beaucoup plus tôt! Monsieur le professeur avait décidé qu'il ne fallait pas. Il me l'a dit: il voulait nous protéger, lui l'indocile incorrigible et moi la pas tenable. Moi, Rio, qui m'imaginais bien rebelle mais dont la révolte consistait seulement à refuser de parler et de penser comme les humains, même si notre seul salut est de nous mêler parfaitement à leur foule, de nous fondre dans leur masse. Combien de Sucti ont fini par ne plus être capables de tenir la frontière fuyante qui sépare connaître d'aimer, côtoyer de comprendre? Je crois que c'est de ce danger-là que Melchior, après la mort de Daniella, a voulu nous prévenir. Trop tard.

Ce soir, Mars et moi avons décidé de nous embrasser sur la bouche. J'ai réussi à le convaincre. Je sais bien qu'au fond il en a envie, lui aussi. En ce qui me concerne, j'en suis arrivée au point où je n'écoute même plus quand il me parle tant je ne fais que fixer le mouvement de ses lèvres almandines. C'est bête parce que, depuis quelque temps, je crois qu'il me dit des choses d'une grande délicatesse. C'est sa voix qui me le fait penser, sa voix qui s'est adoucie quand il s'adresse à moi. Et ses yeux qui se sont mis à ressembler à ceux de Daniella lorsqu'elle parlait de lui.

Dans une pièce de théâtre écrite par un humain d'un autre siècle, il est dit que s'embrasser, c'est se goûter l'âme du bout des lèvres, ou quelque chose du genre. Je ne sais pas si les Sucti en ont une, âme. Je sais seulement que je veux goûter celle de Mars. Nous avons fait tellement de choses ensemble, mais c'est toujours pareil, on n'a envie que de celle-là. Celle qui est défendue.

Nelly Arcan

Peggy

On dit que l'idéal est de rester jeune de corps en étant grand dans la tête. Rester jeune par-dehors et grandir par-dedans. S'assagir, prendre de la graine de la vie, se faire son expérience dans un corps de jeune. Foncer dans la vie avec une force de jeune. Parce que la force, pour les adultes, c'est la pente montante des cellules qui se régénèrent. À vingt-cinq ans, c'est la pente descendante. À vingt-cinq ans, on percute le point de non-retour après quoi on recule. Les cellules paressent, se mettent à bayer aux corneilles, elles en ont assez de s'activer comme des bonnes, elles en ont marre de se fendre en quatre comme des diables dans l'eau bénite. À vingt-cinq ans, il paraît que les cellules commencent à manquer à l'appel. Elles pètent et crépitent comme une tranche de bacon recroquevillée dans une poêle. C'est là que vieillir embarque. C'est la dégénérescence. C'est la décrépitude. C'est ce qu'on dit.

Tout le monde a quelque chose à dire sur tout. Tout le monde raconte des conneries. Les grands croient qu'être jeune est une période florissante et glorieuse. Ce n'est pas vrai. Ils ont oublié ce qu'ils étaient. Vieillir entraîne la mémoire courte. Moi, je dis que l'idéal est que les adultes foutent la paix aux corps des jeunes. L'idéal, c'est qu'ils arrêtent de se mêler des affaires des corps jeunes. L'idéal, c'est qu'ils cessent même de prononcer ce mot: jeune. Qu'ils acceptent enfin le train qui est le leur, qu'ils roulent avec leur train à eux, rempli de leurs affaires à eux, en cessant de regarder derrière, par-dessus l'épaule. Quand la population mondiale cessera de regarder par-dessus son épaule pour pleurer sa jeunesse perdue, ce sera déjà un progrès.

Parce qu'être jeune, c'est un idéal de vieux. Moi, par exemple, j'ai déjà été jeune et je n'ai pas fleuri. C'est le contraire, ma jeunesse s'est dégonflée, mon corps censé briller, irradier sa majesté, ma force supposée regorger de cellules régénératrices se sont empêtrés dans une débauche de boutons, de jambes trop longues et de dé-marches efflanquées. La gloire, ce n'est pas moi qui l'ai eue. De penser que maintenant je dois regretter de ne pas avoir vécu ma jeunesse comme une heure de gloire, c'est pire. Ça me fait rire. J'ai la rancœur.

D'abord j'ai aimé de travers, j'ai aussi aimé dans le beurre. Jamais les bonnes personnes. Par ordre chronologique:

mon père, le voisin d'en face, mon professeur de piano, Boy George, mon grand frère et Peter Criss, le batteur de Kiss maquillé en chat. Jamais je ne saurai si, dans mon cœur, mon grand frère est passé avant le chat qui jouait de la batterie comme un fou, la face peinturée en Peter Criss. Ils y sont peut-être arrivés en même temps, parce que c'est à cause de l'amour de mon frère pour Peter Criss que j'ai aimé Peter Criss. Ça fait très, très longtemps. Ça me fait rire aussi.

Ensuite ma première meilleure amie, Peggy, m'a causé bien du chagrin. Du chagrin est faible : du traumatisme. Peggy m'a traumatisée à vie. Peggy va me pourchasser jusqu'à mon dernier souffle, qu'elle le veuille ou non. Ça aurait pu être une autre. Une autre aurait fait l'affaire mais voilà, c'est elle et pas une autre qui a rempli la fonction de me traumatiser. Je parie qu'elle se souvient à peine de moi. Je parie que Peggy, aujourd'hui, n'est plus vraiment Peggy. Je parie qu'elle a grandi par-dehors et par-dedans aussi, qu'elle a vieilli de tous bords, tous côtés. Que c'est une grande, comme moi. Qu'elle est comme tout le monde, qu'elle a des choses à dire sur tout et qu'elle dit des conneries. Qu'elle est sortie de l'image où moi, je l'ai figée dans ma tête. À l'heure actuelle, la seule chose que je sache d'elle, c'est qu'elle a écouté son père.

Avant Peggy n'était pas comme tout le monde : elle
était le monde. C'était à la polyvalente. J'avais quinze ans.
Et la vie de polyvalente, son centre de gravité, c'était elle :
Peggy. Les garçons l'aimaient sans bornes. Sexy, Peggy.
Sans qu'elle le sache. Les adultes le voyaient, son génie
en herbe d'être sexy, moi pas encore. Je le voyais mais je
ne trouvais pas les mots. Les mots savants qui décrivent
des choses comme celles-là, c'est aussi du domaine des
grands. Avant que les mots deviennent des mots, ils
existent sous la forme d'une brûlure dans le corps, au
plexus, qui se répand comme une vague, comme une onde
acide qui se déploie en cerceaux de feu jusqu'aux orteils
et au cuir chevelu. Quand je regardais Peggy, la brûlure
partait du plexus, la brûlure brûlait et c'était la sensation
du traumatisme. Je n'étais pas comme elle et je la maudissais parce que j'aurais dû être elle. Par éclaircies je me
rendais compte que ce n'était pas sa faute à elle si elle
était elle et moi, juste moi, et pendant ces moments de
vérité qui me frappaient comme un coup de tonnerre au
front, c'est moi que je maudissais et la vie en devenait
encore plus dure. Comprendre les choses ne facilite pas
les choses, au contraire, ça les relève. La compréhension
est une levure de la gravité de la vie. Et la brûlure de la
sensation est comme ça : elle voyage d'une personne à
l'autre comme une balle de ping-pong. On cherche à la

jeter sur l'autre mais l'autre la repousse, l'autre se change en surface incassable sur quoi elle rebondit. La brûlure nous revient en pleine face. On apprend alors que chaque corps est un vase clos, un système fermé, qu'il est impossible d'en sortir. Méfiez-vous des gens qui prétendent voyager de manière astrale, ils mentent ou bien ils sont fous.

Un jour j'ai voulu l'expliquer, cette brûlure, et les mots sont arrivés. En ce moment je suis en train de les écrire. Plus tard, dans quelques années, je déciderai si ça m'a fait du bien. Le bien, le vrai bien, s'installe toujours dans le recul. Le bien, c'est une durée, une longueur de temps appréciable, bien plus qu'un plaisir.

À la polyvalente, la vraie question, au-delà même des garçons, c'était : qu'est-ce qu'une fille doit être, et faire, pour plaire ? Et la réponse n'était pas un discours. Ce n'était pas des mots de grands, ce n'était pas non plus de grands mots. La réponse se passait d'explications scientifiques. C'était du non verbal. La réponse, c'était un élément au même titre que l'eau, une matière au même niveau que la morve. Ça pendait au bout des nez, c'était gros comme une maison. La réponse, c'était une incarnation : Peggy. Peggy comme : deux bras levés au-dessus de la tête dans l'Agora. Deux bras interminablement levés au-dessus de la tête qui s'étiraient sans fin, qui profitaient de l'étirement pour mettre en évidence ce qu'il y avait en bas : son corps en entier. Sexy, brûlure. Peggy mettait le feu autour d'elle.

Lever les bras, c'est comme soulever une couverture ou enlever un chandail. Quand Peggy levait les bras, elle arrivait à s'allonger en restant debout. Elle se couchait, même assise. En s'étirant comme dans un lit au réveil, mais pas dans son lit. Dans l'Agora. Et sans doute aussi à l'extérieur de l'Agora, car s'étirer, ça peut être un mode de vie. On peut s'étirer du matin au soir. Ça s'est déjà vu. J'avoue que ce doit être fatigant. Dans l'Agora je tentais efflanquée de l'imiter mais le geste m'échappait, le geste fuyait mon grand corps parce que le geste voulait rester sur Peggy, y retourner pour un maximum d'effet.

Quand je pense à elle aujourd'hui, je la revois dans ce geste : l'étirement. Le traumatisme arrivait dans l'étirement de Peggy. Quand Peggy s'étirait, quand elle faisait le geste de lever les bras comme si elle voulait que le ciel la prenne dans ses bras à lui, c'est tout le secondaire qui cessait de respirer. Parce que plaire veut dire : contraindre les autres à cesser de vivre, le temps de regarder ; forcer le monde à devenir public, le reléguer autour de soi, dans les gradins. La beauté est un ordre qui commande à tous l'immobilité et la contemplation. La beauté est une force de frappe qui met à genoux.

Mais Peggy était aussi ma meilleure amie. Cette relation impliquait une certaine proximité physique. On était toujours côte à côte. Être côte à côte amène la comparaison et dans la comparaison elle n'en ressortait que mieux. La comparaison a toujours un fond de cruauté, c'est pour ça qu'on devrait comparer entre eux les comparateurs. Après ils seraient bien forcés de comprendre. Ils comprendraient la brûlure, qui vient du regard. Ils comprendraient que le regard est quelque chose d'injuste. Le regard c'est comme la pluie, à certains endroits inondés il y en a trop, à d'autres endroits, désertés, il n'y en a pas assez. Moi, j'étais le Sahara.

Un jour j'en ai eu assez d'être sa meilleure amie et j'ai cassé avec elle. Sans un mot, seulement en m'éloignant, en prenant de la distance. J'ai plongé dans mes études. C'est ce que les vieux suggèrent quand les jeunes vont mal. Ils disent: plonge dans tes études. Ils le disent comme si les études étaient une piscine olympique, un lac, une mer à marée haute sur laquelle on peut surfer, comme si on pouvait se mettre debout et filer sur le malheur qui nous submerge. J'ai aussi cessé de prendre l'autobus et de manger à la cafétéria. À la place je mangeais entre les rangées de casiers, assise par terre. La bibliothèque était ma plus sûre cachette. La bibliothèque était un dispositif d'études et de livres qui me protégeait de la comparaison qui s'était installée. J'étais encore un échalas aux grands pieds mais l'échalas n'était plus souligné par Peggy. Comme dispositif la bibliothèque fonctionnait, mais sans trop savoir pourquoi j'étais encore plus malheureuse qu'avant. Même hors de ma vue Peggy continuait à se montrer au fond de l'esprit, elle m'apparaissait à travers les problèmes d'algèbre à résoudre, elle continuait à lever les bras, à s'étirer, inlassable, dans les romans que je lisais. Tous les romans finissaient par finir, tous les problèmes trouvaient à se résoudre, mais Peggy était insoluble. Alors j'ai dû m'adapter au monde au lieu de le refuser. Je l'ai déjà dit : le monde, c'était Peggy. Alors je suis retournée à Peggy.

Mais Peggy n'était pas le monde pour tout le monde. Derrière elle il y avait un autre monde qui était triste. C'est drôle à dire mais ce monde-là, son monde, l'endroit d'où elle venait, personne ne pouvait l'envier. Pas même moi. Sa mère était morte d'un cancer quand elle n'avait que huit ans et son père était militaire. Un sergent de la milice. Son père voulait que Peggy devienne police. Les vieux sont choquants dans leur manière de s'intéresser aux jeunes : ils se mettent le nez dans des zones interdites comme celles du destin, de l'avenir de la progéniture. C'est plus fort qu'eux, ils font des plans pour la chair de leur chair, d'ailleurs la progéniture n'est pas tout à fait innocente, elle se laisse marquer, elle entend et retient tout sans même s'en apercevoir.

Une fois je lui ai demandé si elle voulait entrer comme son père le voulait dans la police. Sa réponse a été un index pointé dans ma direction, sa main en fusil. Sa réponse a été un cliché : haut les mains ! En tirant sur moi à bout portant, elle se faisait cow-boy, elle devenait le shérif de sa maison hantée par une mère morte. Ensuite elle m'a fusillée de sa main en arme à feu en fermant un œil pour mieux viser : bang ! bang ! Mes deux bras étaient levés au-dessus de ma tête, je crois que c'est mon obéissance à son déguisement d'autorité qui m'a le plus tuée.

Sa maison était sombre et froide. Peggy était pauvre et sa maison était son plus grand indice de pauvreté. C'était une maison sans mère qui semblait toujours vide. Souvent au sous-sol où l'on se retrouvait, on écoutait de la musique en parlant des garçons. Du métal lourd : Metallica, Iron Maiden, Ozzy Osbourne. Un soir trois araignées, des faucheuses, se sont avancées sur la moquette usée. J'en ai bondi de son fauteuil vert gonflé d'humidité à l'odeur moisie, j'en ai crié de surprise et Peggy, la moquerie au visage, les a tuées d'un pied triomphant, une par une : ploc, ploc, ploc.

T'es juste une pissoutte, qu'elle m'a dit. Ce mot-là, cette invention insolente de la langue qui veut dire faible, inférieure et lâche, du pipi nerveux, ce mot-là, pissoutte, est entré dans le traumatisme. Par la grande porte. Un mot en prime. Peggy donnait peut-être envie qu'on la touche mais elle avait aussi la peau dure. Elle avait les mots rudes. Et quand on la regardait bien, quand on arrivait à voir au-delà de son étirement, on pouvait sentir les vibrations de sa maison pauvre, on pouvait deviner l'obscurité de la cave où se trouvait sa chambre à coucher, entrevoir les araignées avancées sur la moquette. C'était un masque, ses bras levés, une façade, de la poudre aux yeux qui détournait l'attention de la maison vide, occupée par un père qui la voulait en police.

Mais à cet âge-là, je ne le savais pas. La seule chose dont j'étais certaine, c'est ce qui m'appartenait à moi : la brûlure et sa douleur. La brûlure disait : elle l'a et toi tu ne l'as pas. Ce qu'elle avait et ce que je n'avais pas, j'aurais été bien en peine de le décrire. Aujourd'hui je le sais : elle avait les autres, elle avait leurs yeux, elle existait partout dans la tête de la masse étudiante, elle vivait simultanément dans des centaines de têtes de la polyvalente. Elle avait les garçons, juste pour elle, les trois cents mousquetaires à sa disposition. Moi : un terrain oublié par la pluie. Une plage aride et sans mer dont les touristes se détournent. C'est sans doute pour cette raison qu'on s'est choisies comme meilleures amies : elle pour ramasser encore plus sûrement les regards et moi pour mieux m'en protéger, à l'ombre de son corps étiré. On était chacune dans nos patrons, dans nos motifs qui s'enlaçaient les uns les autres, pour des intentions complémentaires.

Si Peggy souffrait elle ne souffrait pas de moi. Ma présence sans menace pour elle lui était toujours agréable. Moi je souffrais d'elle. Quand on sortait, les garçons l'entouraient, c'était plus fort qu'eux. Ils ne tenaient pas compte de ma présence et ça aussi c'était plus fort qu'eux. Moi je les regardais la regarder et je brûlais. J'étais en feu, souvent je trouvais un prétexte pour partir, parfois je partais sans prévenir.

Une fois je l'ai vue embrasser deux garçons différents dans la même soirée. C'était du jamais vu et ça me captivait. Dans ma capture je souffrais le martyre. Au troisième garçon embrassé quelque chose s'est brisé en moi. Le traumatisme s'est fendu en deux comme un arbre frappé par la foudre en son milieu. Je vous jure qu'à ce moment j'ai entendu son craquement douloureux. Son déchirement sec et irrémédiable m'a secouée de tout mon long. L'arbre fendu était aussi un foyer d'incendie, le feu léchait son cœur brisé. C'est en courant que j'ai quitté le site de la baraque militaire où la soirée avait lieu, c'est en pleurant que j'ai dévalé la grande côte de la rue Frontenac, c'est en courant et en pleurant que j'ai remonté jusqu'au lac les cheveux libres emmêlés dans le vent, que j'ai emprunté le sentier boisé où ma maison se trouvait, où ma mère et mon père vivaient avec mon frère, mes parents qui étaient tellement plus des parents que le père de Peggy et que sa mère morte, mon frère qui me rendait tellement fière.

Ce soir-là j'ai brûlé à la flamme d'une chandelle toutes les photos où elle apparaissait. Il y en avait vingt-deux. Il fallait en finir avec la cause du traumatisme, brûler la source de la brûlure pour qu'elle s'en aille pour toujours. Jamais je ne lui ai adressé la parole à nouveau, à la polyvalente elle me regardait les yeux tristes mais elle comprenait, elle me pardonnait, elle savait qu'elle était trop pour moi, qu'elle allait trop loin et que dans ce trop loin je ne voulais pas la suivre. Je suis certaine qu'elle m'a pleurée.

On s'est perdues de vue quand le secondaire a pris fin, nos chemins se sont séparés, on a changé de ville. On s'est tourné le dos pour toujours. À la longue je suis devenue jolie, ma grandeur est entrée dans les rangs, moi aussi j'ai eu droit au regard.

Hier j'ai croisé son père alors que j'étais en visite chez mes parents, je lui ai demandé ce qu'elle était devenue. Police, qu'il m'a répondu. Moi, je suis devenue écrivain.

C'est tout. Si un jour je la revoyais, peut-être que je la prendrais dans mes bras.

Myriam Beaudoin

Señorita Sacha

Pour Maia Boyer Luis

Au Sirenas Corales, complexe hôtelier caraïbe, étendue dans un lit double, j'ouvre un œil. Mon bikini vert, avec ses cerises rouges comme le vernis de ma mère, pendouille sur la chaise d'osier. Deuxième œil. Valise ouverte qu'il va me falloir charger et refermer d'ici vingt-quatre heures. La tête enfoncée dans l'oreiller douillet, mes deux yeux visitent la suite 317. Sur les commodes, le climatiseur bruyant, les tuiles javellisées, des vêtements courts et des serviettes spongieuses, partout. Je soulève les jambes, retire le drap, dépose mes cuisses sur le matelas. Dernière journée de vacances, avant le retour vers mon pays enneigé.

Toc, toc, toc...

— Salut, ma Sachoupette!

Les petits poings de ma mère, la voix de ma mère, la porte qui s'ouvre et laisse passer le corps chaud de ma mère qui se jette sur moi et me serre fort fort fort. Papa apparaît dans le cadre de la porte. Il examine le bordel de ma chambre en passant lentement sa main dans ses cheveux blancs et blonds. Maman me libère, se tourne sur le dos et allez hop d'un bond elle est sur ses pieds, sac de plage sous le bras.

À trois, les amoureux d'abord, l'ado ensuite, nous contournons la piscine en forme de losange, pour nous approcher du buffet rempli à ras bord. Carlos, un des serveurs du matin, accueille ma mère, tire une chaise et lui adresse un *Buenos dias señora*.

Encore lourde de sommeil, je ne les rejoins pas tout de suite, plongeant plutôt un pied dans la pointe du losange. Je resterais des heures à regarder mon gros orteil faire des cercles sur l'eau, mais mon père me fait signe de les rattraper, me rappelant le rythme de la vie nord-américaine, où ne rien faire signifie perdre son temps.

— Hé! Sacha! m'appelle Maia, mon amie du séjour, Québécoise comme moi. Ses parents se joignent aux miens tandis qu'elle s'avance avec deux mini-ananas garnis de pailles.

— Génial... lui dis-je après une gorgée de jus fraîchement pressé.

Le célèbre «tout compris» nous a permis de nous rencontrer, de faire de la plongée, du *beach volley*, et de déguster secrètement des cocktails au merveilleux *bar de la playa*.

— Les filles! hurle ma mère poule en nous faisant signe de venir.

En réponse à mon roulement d'yeux, Maia me fait un clin d'œil et me tend la main.

Nous nous approchons de la table où nous attendent de larges crêpes fourrées aux fruits frais et à la crème fouettée. Soudain affamées, sans plus aucune manière, nous les engouffrons, écoutant distraitement les adultes qui planifient une randonnée équestre dans les champs de café. Maia et moi refusons catégoriquement de les accompagner; nous tenons à notre dernière bronzette au bord de la mer, et au dernier jour passé ensemble, sans supervision parentale.

Les adultes n'insistent pas et se dirigent vers le kiosque d'activités. Maia en profite pour sortir de son baluchon quelques cartes postales achetées à la boutique de l'hôtel. Elle me renseigne sur Thomas, Aline, Cédric, les destinataires, me répétant qu'il faut à tout prix me les présenter un jour, surtout Thomas, qui me plaira c'est sûr.

— Je vais chercher mes trucs et tu nous réserves un parasol? proposé-je à Maia, qui acquiesce.

J'emprunte le petit sentier *del jardin* pour me rendre à ma chambre. Je traîne mes sandalettes, j'admire les fleurs dans la rocaille, le gazon tondu, vert tendre, les rayons du soleil qui traversent les doigts des palmiers. Je me promets de profiter de chacune des heures à venir et, surtout, de faire ce qu'il me plaît. Je contourne mon banc de bois, sur lequel j'ai écrit mon journal intime tous les matins. Sous l'arche recouverte de bougainvillée, une branche en fleur me caresse la joue.

J'emprunte l'escalier en colimaçon. Un palier. Deux, trois, voilà, porte 317... Sur le paillasson de l'entrée repose une rose d'un rouge saillant. Je vérifie le numéro de la chambre, c'est bien ça, c'est le mien. Je m'accroupis, et je lis:

« *Señorita,*
desde tu llegaste hace seis días,
he soñado contigo a cada instante.
Creo que ha cambiado ahora en mi vida,

no quiero otra cosa que encontrarte.
Para ti es esta flor, porque tú eres una flor,
frágil y fresca. F*»

Sans regarder autour de moi, j'enfonce la clef dans la serrure et j'entre dans ma chambre.

Je contemple la rose, ses pétales larges, satinés, et sa tige sans épines. Je relis le mot nerveusement, deux, trois, quatre fois. Qui est « F » ? Un touriste ? Un des employés ? Le sauveteur à la piscine ? L'instructeur de plongée ? Je respire le rouge à pleines narines, mes yeux rivés sur les mots alignés comme dans une chanson. Ahurie, je ne peux m'empêcher de comparer ce romantisme aux histoires banales que vivent les filles autour de moi. J'ignorais que ça existait vraiment, des lettres d'amour et des roses qu'on dépose sur le pas de votre porte.

J'enfile mon bikini en vitesse, cherche mes shorts et une camisole, noue mes longs cheveux clairs. Devant la glace, je soupire un bon coup. Mon cœur n'a pas battu comme cela depuis l'été dernier, quand j'ai rencontré Tom, qui m'a oubliée après deux jours. Je prépare mon sac à dos,

* « Mademoiselle, depuis ton arrivée il y a six jours, je rêve de toi à chaque instant. Rien n'est plus pareil dans ma vie, depuis que je veux te rencontrer. Cette fleur est pour toi, parce qu'elle te ressemble, fragile et fraîche. F »

distraite, y mets n'importe quoi. Je saisis la lettre et la rose, les range dans le tiroir de la table de nuit. Mes clefs, un dernier regard dans la glace, et *ciao*. Juste avant de refermer la porte, je cours vers le tiroir, reprends la fleur et le mot, les fourre dans mon sac.

Maia a choisi un parasol de bois situé à quelques mètres du *bar de la playa*. Elle a tiré dans le sable fin deux longues chaises qui ont tracé deux longues raies. Au-dessus de la mer émeraude, le soleil, très fort, s'affiche dans un ciel sans nuages. Installés près de nous, des femmes retiennent leurs chapeaux à larges bords et des messieurs sondent l'horizon et les baigneuses.

J'enduis de crème au coco le dos de Maia. Dans ma tête, les mots de F tournent en rond. Une lettre anonyme. Quelqu'un qui m'a remarquée, qui a osé m'écrire, qui est peut-être là, sur la plage. Je scrute les environs afin de déceler un visage suspect. Le mystère m'obsède déjà. Vais-je recevoir un autre mot? Viendra-t-il se présenter? À quoi ressemble-t-il? Je ne veux rien dévoiler à Maia, qui étudie dans une école mixte et se moquerait de la grande rêveuse inexpérimentée que je suis. Pas question de la laisser enquêter sur l'identité de F. Je ne veux pas non plus qu'elle se montre trop enthousiaste, et qu'elle parle fort, au risque qu'il nous entende, lui qui peut être n'importe où. J'enduis mes lèvres de gloss et feins de dormir. Mon secret. Une rose et une lettre, comme dans les films.

— Viens, une saucette nous rafraîchira! me lance Maia, debout.

Elle me devance, pique un sprint vers la mer, enjambe des vagues de plus en plus hautes puis y plonge la tête. J'observe son long corps doré faire le dauphin; je me rends bien compte que je n'ai pas vécu la moitié des histoires de cœur de mon amie. J'admire son assurance, et je jalouse ses occasions de rencontre à la polyvalente. Maia remonte à la surface en riant de toutes ses dents. Un ballon échoue entre nous deux, je cherche son propriétaire: deux petits bras de touriste qui s'agitent sur la plage.

Nous retournons vers nos chaises longues et matelassées, où nous laissons le soleil sécher nos corps. Alors que, au bout de mes longues jambes maigres, mes pieds portent la marque d'un sérieux coup de soleil, la peau de mon amie a pris une teinte dorée parfaite. Un employé de l'hôtel passe et nous fait un clin d'œil. Le vertige me prend.

Je sors un paquet de cartes, nous jouons plusieurs parties, je perds chacune d'elles, troublée et distraite. Voilà qu'arrivent nos mères, pas encore parties en excursion.

— Les reines du bronzage ! Êtes-vous certaines de ne pas vouloir venir en randonnée équestre ?

— Certainement ! répondons-nous en chœur.

Pour rien au monde je ne quitterais le complexe hôtelier.

Je veux détacher les pétales de la rose, les étendre dans mon journal intime. Être là, au cas où F se présenterait. Ou laisserait une autre lettre. Aller jusqu'au bout et percer le mystère.

La paix. Nos parents sont déjà loin. Au *bar de la playa*, Maia et moi jasons longuement avec Eduardo, le barman qui nous sert des cocktails dignes de deux *beautiful muchachas*, comme il dit. De retour dans le jardin parfumé du Sirenas Corales, nous paressons dans les hamacs et, assez rapidement, mon amie glisse dans le sommeil.

Je souris, repue et fatiguée par le soleil, les baignades

et le rhum. J'entretiens le balancement de mon hamac, avec mon pied rougi posé contre le tronc d'un bananier. J'ai retiré le haut de mon bikini à cerises et, sous ma camisole, mes seins font de jolies pointes que je ne me lasse pas de contempler. Quelle chance... des heures devant moi pour rêver à volonté. Relire la lettre de F, la poser sur mon nombril, la cacher entre mes cuisses. De temps en temps, je me penche pour cueillir mon daïquiri aux fraises que je sirote tel un élixir du paradis.

J'attends avec, dans mon ventre, un élevage de papillons. Je suis comme une héroïne de romans, *frágil y fresca*. Dans une heure ou deux, je me rendrai à ma chambre pour vérifier le paillasson. Peut-être cueillir un autre billet, ou alors prendre mon prince sur le fait, rose en main. J'imagine deux cents scènes amoureuses, chacune plus romantique que l'autre. Je saisis mon cocktail, ouvre la bouche, avale la pulpe du fruit laissé au fond du verre, puis me remets en position sommeil.

— *Señorita... Señorita...*

Une voix me sort de la sieste. F. Je le sais au premier instant, avant même de me redresser, effarée, dans le hamac avec lequel je me bats jusqu'à ce que sa main, la main du garçon, saisisse le cordage et le maîtrise.

— *Soy* Felippe, dit-il calmement.

Il vient d'ici, de ce pays du soleil.

— *¿Estabas soñando*[1] ? enchaîne-t-il devant mon mutisme.

— *Sí. Sí, estaba soñando*[2].

Je ne sais plus quoi ajouter. L'héroïne en moi est devenue muette, ou sotte.

— *¿Te gusta el daiquiri*[3] ? se moque-t-il gentiment en soulevant mon verre. Ses dents larges, parfaitement blanches, font grand effet dans son visage foncé.

J'essaie de retrouver ma tête, de prononcer quelque chose de sensé. Ses grands yeux noirs me déroutent et mon intelligence va pour la facilité :

— *¿Son tuyas la carta y la flor*[4] ?

Il fait un signe approbateur, et je renchéris avec un verbe que j'ai appris en classe, quelques jours avant le départ :

1. Tu dormais ?
2. Oui. Oui, je dormais.
3. Tu aimes le daïquiri ?
4. La carte et la fleur sont de toi ?

— *Me encantaron*[1].

— *Hablas muy bien el español. Es una maravilla escuchar a una chica extranjera con un acento tan correcto*[2].

J'explique à Felippe que je suis Québécoise mais que mon père vient d'Espagne, et que je prends des leçons d'espagnol chaque samedi matin depuis la maternelle. Il m'écoute, assis dans le sable, pieds et torse nus. Il raconte qu'il comprend un peu le français, grâce à ses patrons, les propriétaires du Sirenas Corales, « ils sou Francès di Fronce ».

— *Tou* vois, je peux *hablar tu lengua*[3]...

Nous rions timidement. Felippe est guide touristique ; c'est lui qui accompagne les touristes aux *Grutas Gigantes*[4]. Son cousin, un des chefs cuisiniers, lui a permis d'obtenir ce poste. Lorsqu'il me demande si je travaille, je lui réponds que mon métier est le pire du monde : étudier. F fronce les sourcils, puis il se lève.

— *¿Damos una vuelta por la playa*[5]*?*

1. Ils m'ont fait plaisir.
2. Tu parles bien espagnol, c'est merveilleux d'entendre une étrangère s'exprimer avec un accent si exact.
3. ... parler ta langue...
4. Grottes marines géantes.
5. On fait une balade sur la plage ?

Une balade au bord de la mer avec cet étranger ? Je n'hésite même pas. J'ai l'impression que la vie a enfin décidé, après seize ans d'attente, de me présenter à un prince. Qui est pour moi, juste pour moi, et à qui je plais déjà beaucoup. Nous nous éclipsons sur la pointe des pieds. Derrière nous, Maia ronronne.

Nous marchons longtemps. Le soleil se déplace. Nous avançons côte à côte, les yeux tantôt sur l'horizon émeraude, tantôt sur l'un et l'autre. J'écoute sa voix grave et lente. Felippe raconte toutes sortes de choses et, entre ces choses, il fait des pauses qui donnent envie d'en apprendre plus. Il parle beaucoup de sa mère qui les a quittés il y a longtemps. De sa tante qui l'a élevé. De ce pays qui vit grâce au tourisme et au café. Des *Grutas Gigantes*, une des merveilles du monde.

Arrivés dans une baie déserte, nous nous arrêtons. Felippe s'étend dans une eau chaude, calme, profonde de dix centimètres. Je pose mon sac, retire mes sandalettes, mon short, et je l'imite. Allongés et soutenus par nos coudes, nous laissons la mer submerger nos ventres. Au loin, les vagues énormes se brisent et se réinventent en un amalgame de bleu clair, de turquoise et de blanc. Felippe s'est détourné du spectacle offert par la nature. Il ferme les yeux. Ses longs cils retiennent quelques grains infimes de sable. Sa belle bouche épaisse et sombre comme sa peau s'entrouvre légèrement. J'aime ses cheveux noirs comme la nuit, et les boucles sur son front.

Soudain, il ouvre les yeux, fixe mes orteils puis laisse son regard remonter le long de mon corps. Il me sourit et me dit que je suis belle, tellement belle. Son index touche mon bras. Felippe constate la brûlure du soleil et s'en inquiète :

— *Ten cuidado con el sol. Puede ser peligroso para una piel joven como la tuya. Vien conmigo, Sacha**.

J'enfile mon short, reprends mon sac, rechausse mes sandalettes, tords mes cheveux gorgés d'eau salée. Posté tout près de moi, il examine chacun de mes gestes. *No debes cortarlo nunca*, me demande-t-il, caressant une mèche. Je le lui promets, je ne les couperai jamais.

Nous contournons la baie, quittons lentement la plage, franchissons un sentier de terre et dépassons un troupeau de chèvres. Felippe parle longuement de poésie et il cite des noms que j'entends pour la première fois. Il m'apprend

---

* Fais attention au soleil, il peut être dangereux sur une peau aussi jeune que la tienne. Suis-moi, Sacha.

qu'il écrit beaucoup et qu'un jour il deviendra un poète célèbre. Puis, devant une case en ciment aux volets fermés, il s'immobilise.

— *Ahí está la casa de mi familia*[1].

Felippe pousse la porte et nous pénétrons dans la case. Nos yeux s'habituent rapidement et, sans allumer, il me fait visiter. Dans la cuisinette, le salon, sa voix ne s'arrête pas, décrivant les habitudes de la famille dans chacune des pièces.

— *Este es mi cuarto*[2], chuchote-t-il en refermant doucement la porte derrière nous.

Alors que ses frères s'entassent dans une même chambre, l'aîné, celui qui ramène le seul salaire à la maison, a son espace. Je discerne le lit simple, drap défait, sans oreiller. Puis une table et une chaise, si petites que j'ai du mal à imaginer qu'elles puissent convenir à sa taille. Felippe se dirige vers la fenêtre, tire la persienne: la chambre est tout à coup traversée de rayures lumineuses et les murs, recouverts de phrases. Je déchiffre une écriture aux traits inégaux, épais, comme tracés avec le doigt sur le ciment:

1. Voici la maison de ma famille.
2. Voici ma chambre.

« *Cuando te veo y tú jamás me miras, siento en mi corazón una esperanza que duele, semejante al comienzo de un gran amor.*[1] »

— Je l'ai composé pour toi, me confie-t-il tout bas.

Je poursuis : « *¿Si me atrevo a escribirte, tu corazón me leera? ¿Si me atrevo a acercarme, tu belleza me lo permitirá*[2] *?* »

Felippe s'assoit sur le lit, m'invite à faire de même. De sa voix brûlée par le soleil, il réclame :

— *Ahora, háblame de ti*[3].

Ma gorge se noue. Je ne sais pas quoi lui raconter, je ne sais même plus d'où je viens, mon pays est introuvable dans ma mémoire. Mes yeux se remplissent de citations et de bouts de phrases inscrites sur ses murs. J'ai du mal à le croire : moi, Sacha, je suis dans la chambre d'un poète, au bout du monde. J'ai la chair de poule.

— *Tus ojos brillan como las piedras en el fondo de las Grutas Gigantes*[4], murmure-t-il à mon oreille.

1. Quand je te vois et que jamais tu ne me regardes, je ressens une espérance douloureuse qui ressemble au début d'un grand amour.
2. Si j'ose t'écrire, ton cœur me lira-t-il ? Si j'ose m'approcher, ta beauté me le permettra-t-elle ?
3. Maintenant, parle-moi de toi.
4. Tes yeux brillent comme les pierres au fond des Grottes Géantes.

Je ne savais pas qu'on pouvait écrire comme lui écrit. Qu'on pouvait me parler comme il le fait. Et que ça me bouleverserait autant. Dans cette chambre, avec ce que Felippe me dit et ses grands yeux noirs sur moi, je n'envie plus personne. J'ai mon histoire, plus belle que toutes celles que j'ai déjà entendues.

Depuis quelques instants, il promène son regard sur mon corps de seize ans. Moi, j'ai la tête lourde. Ça doit être le soleil, la mer, la balade, la proximité de Felippe. Il se déplace sur le lit, mais son mouvement ne m'effraie pas. Il semble savoir exactement ce qu'il fait. Son visage s'approche du mien, et je sens son souffle tiède sur mes joues. Sa bouche. Sa bouche salée prend ma bouche. Mon cœur bat. Felippe s'avance encore plus vers moi, et il me renverse lentement sur le drap. Je le laisse faire. À mon âge, on ne craint presque plus rien. Mes membres qui tremblent ne ressentent pas la peur, mais l'envie très forte de découvrir ce qu'il faut apprendre dans une chambre close, quand les yeux brillent, que les corps ont chaud, et que le ventre grésille.

D'un mouvement affirmé, il ramasse mes jambes et les pose sur le lit, près de son bermuda azur. Felippe revient à moi, à ma bouche qu'il fouille profondément. Une de ses mains presse ma nuque à chaque coup de langue.

L'autre joue dans les lacets de mon bikini. Je ne peux pas bouger. Son poids, sa force sont supérieurs aux miens. J'ai les yeux fermés, et je vois quand même tout, le sens du toucher me donne vue sur tout. La chambre de Felippe n'est plus fraîche mais très humide. Le soleil doit plomber fort sur la tôle de la maison de ciment. Ça y est, ses doigts ont défait les lacets. Je m'efforce de moins trembler. UNE PORTE CLAQUE. Redressée, yeux ronds, je cherche. Felippe tente de me rassurer :

— *Es Miguel, mi hermano*[1].

Avec l'arrivée de Miguel, tout vient de s'arrêter. Je me lève, remets ma culotte, rajuste mon short, attache mes cheveux avec un élastique. Je consulte l'heure, et je vois le visage de mes parents qui s'inquiètent, qui me cherchent partout, et déjà les employés de l'hôtel font le tour de la plage, à la recherche de Sacha l'adolescente 1 m 57 cheveux droits longs blonds yeux bleus un short gris une camisole lavande.

— *Tengo que irme*[2], je lui annonce, pressée.

— *¿Cuando voy a verte de nuevo*[3] ?

1. C'est Miguel, mon frère.
2. Je dois partir.
3. Quand est-ce que je te reverrai ?

Sa question rappelle l'horrible réalité du départ. Le vol, le lendemain matin. Ses mots ralentissent ma fuite. Immobile devant la porte, je l'écoute:

— *¿Puedo verte mañana antes de te vayas*[1]*?*

— *Ven a las seis,*[2] là où sont les hamacs, là où tu es venu me réveiller.

Je cours. Je traverse le quartier. Je me mets pieds nus pour aller plus vite. Je rejoins la plage, reconnais la baie, la traverse. Je pleure. Mes jambes, mes cuisses se mouillent. Au loin, les toits jaunes du Sirenas Corales. Plus vite. À chaque foulée me reviennent une image et un vertige. Une sorte de désir très fort mêlé à de la culpabilité. Une gêne. Quelque chose qui fait honte.

Bientôt, une petite troupe sur la plage, près des parasols de paille, des gens qui viennent vers moi, la voix de ma mère qui enterre celle de mon père, sa colère emmêlée à son bonheur de me retrouver. Ses bras m'enlacent et elle me serre fort fort fort. Ma mère sent la crème solaire et la sueur provoquée par la grande peur noire. À nos côtés, les parents de Maia poussent des soupirs de soulagement, et mon amie, assise dans le sable, me sourit tendrement.

1. Je peux te voir demain matin avant ton départ?
2. Viens à six heures.

Mais au bonheur d'avoir retrouvé Sacha succède l'inter-rogatoire. Et à mes demi-réponses, toutes fausses, un « on rentre tout de suite à la chambre et tu ne peux pas imaginer comme on a eu peur et comment se fait-il que tu n'aies pas pensé nous avertir et avec **qui** et **où** étais-tu ? »

De la navette, j'envoie un dernier baiser volant à Maia, plantée à l'entrée de l'hôtel. Je file vers le dernier banc, mon cœur plein de trous. Ma bouche ne goûte plus celle de Felippe, mais l'amertume de son absence, inexplicable, à notre rendez-vous près des hamacs, où je l'ai attendu pendant une heure et seize minutes. Je ne comprends pas. Je suis remplie de doutes qui me donnent le goût de vomir.

Les portes de l'autobus bondé se ferment, puis s'ouvrent. Un employé en chemisette saumon monte. Maia me fait des signes que je ne peux traduire, peut-être à cause de toute la peine qui voile mes yeux. L'employé passe de banc en banc, s'adresse à chaque voyageur tandis que le conducteur patiente, cigarillo en main. Voilà qu'il se penche sur moi.

— *¿Eres Señorita Sacha ?*

— *Sí.*

Mon *Sí* l'enchante. Il sort de sa poche d'uniforme une lettre qu'il me tend avant de filer.

Je la serre contre mon cœur, ferme les paupières. Trois larmes épaisses comme de la boue remplissent mes fossettes. Le bus emprunte la calle Gigante. Puis, juste avant de décacheter la lettre de F, je regarde une dernière fois les toits jaunes du Sirenas Corales.

Fanny Britt

L'impatiente

Avec extraits de *La marche à l'amour*,
de Gaston Miron

L'humiliation, ça te ruine une réputation, dit ma tante préférée, qui a trente-deux ans, ce qui est jeune pour une adulte, apparemment. Et comme ma réputation ne vaut déjà pas si cher, tu n'y toucheras pas. Ne serait-ce qu'en me confinant à un rôle qui pue tellement le désespoir qu'on le sent jusqu'à la frontière américaine. C'en est fini. Soit je cesse de jouer à l'amie et je m'éloigne. Soit je cesse de jouer à l'amie et je te dis la vérité.

Et ça.

Ça.

Je vois bien que ça, c'est

Ses cheveux qui tombent devant ses yeux, qu'il replace derrière son oreille, qui retombent aussitôt, qu'il replace encore. Ses yeux en forme de U à l'envers quand il rit. Sa grande beauté de garçon qui brille. Il est au fond de la cour, avec Max. Il n'a pas attaché son manteau. La semaine dernière, il a attrapé un rhume à cause de ça. Il regarde parfois la porte de l'école. Est-ce que c'est moi qu'il cherche ? Je ferme les yeux. Je le connais par cœur. Il faudrait y aller. Il faudrait aller le voir, monter jusqu'à lui au fond de la cour, traverser les jeunes de secondaire un qui se chamaillent et les vieux de secondaire cinq assis par terre

Traverser

Marcher à lui comme dans le poème de Gaston Miron qu'on a appris dans le cours de français :

Je marche à toi, Philippe Jean, et je vais te dire quelque chose que tu vas aimer. Je veux dire je vais te dire quelque chose que je vais aimer. Je veux dire je vais te dire que

Peut-on être humilié si on se contente de penser quelque chose et qu'on ne le révèle jamais à personne ?

Pas même à Babette.

Pas même à du papier, pas même à mon journal.

Mon père me dit souvent qu'écrire c'est ce qui donne un sens à toutes les niaiseries qui nous arrivent et qui constituent la vie.

Moi, je lui rétorque qu'il est un pessimiste croulant et que le pessimisme n'est plus en vogue depuis les années 90. Je lui dis : *maintenant, c'est le cynisme, get with the program*, genre. Et alors il jubile parce qu'il trouve que je parle comme une jeune et qu'il pourra utiliser mes expressions dans ses chroniques de journal pour faire rire les vieux qui les lisent.

Je le soupçonne de m'encourager à écrire pour se pêcher de nouvelles blagues.

Il me dit *écris-la, ta vie, c'est comme ça que tu la bâtiras.*

Tu voudras t'en souvenir, un jour, de tes frasques de quatorze, quinze, dix-sept, vingt ans.

Tu les liras, le regard attendri, riant parfois de ton exubérance et de ta fougue, de ton esprit d'exagération et de ton désespoir.

C'est louche, venant du monsieur qui vole de femme en femme depuis trente ans et qui n'a jamais écrit que des articles sur la politique.

Voilà ce que je lui réponds quand il me tanne avec ça, et alors il est un peu insulté, à cause du commentaire sur ses articles, mais il ajoute tout de même qu'il *écrit son journal depuis l'âge de douze ans* et que ça lui a économisé *au bas mot 30 000 $ en thérapie.*

De toute manière

Mon père ne connaît rien.

Ne rien dire est préférable.

Contentons-nous de le penser.

Et de peut-être

Peut-être l'écrire mais le cacher tout au fond d'un tiroir où personne ne va jamais

Peut-être l'enterrer sous une vieille peau de banane ou dans un ziploc scellé contenant un muffin douteux oublié dans la pochette avant d'un sac d'école — personne n'ira se mettre les doigts là-dedans

Contentons-nous de le chuchoter dans le noir, pour ne pas avoir à le dire, pour ne pas s'humilier (*Non mais qu'est-ce que tu lui apprends*, a crié ma mère depuis la cuisine quand elle a entendu ma tante faire son commentaire sur l'humiliation, *tu veux qu'elle garde tout pour elle, qu'elle n'exprime jamais ce qu'elle ressent vraiment, qu'elle ne prenne pas de risques, qu'elle ne s'expose pas au bonheur, et qu'elle se fasse un cancer ?* — Oui, exactement, c'est ça, lui ai-je répondu dans ma tête, *parce que si je me décidais à te parler pour vrai, toi, entre deux traitements à l'huile de pépin de raisin contre ton angoisse crasse de devenir vieille et laide, alors que ce sont précisément tous ces traitements qui te rendent vieille et laide, toi, est-ce que tu pourrais seulement comprendre ce qui m'arrive ?*)

Alors oui

Contentons-nous de le formuler, tout doucement, sans faire de bruit, quand ce sera formulé on verra bien si j'ai l'étoffe des géants de la littérature ou si je suis juste bonne pour la nécrologie, contentons-nous de formuler :

Philippe Jean, depuis une heure tu m'emmerdes avec ta peine d'amour de Rosalie Prout-Prout, alors qu'il y a devant toi une fille qui t'aime à s'en saigner le cœur, qui se ferait couper les deux jambes pour les remplacer par celles de Rosalie et le nez par celui de Rosalie, et les yeux par ceux de Rosalie, pour lui ressembler même si elle la méprise même si cette Rosalie est une pure idiote qui se trouve tellement belle qu'elle se répand en bonheur débile, alors qu'il y a devant toi une fille qui serait prête à s'amputer le cerveau parce qu'elle t'aime à s'en saigner le cœur et qu'elle en perdrait sa vie parce qu'elle t'aime à s'en saigner le cœur et toi tu la forces à t'écouter râler sur les longs cheveux étincelants d'une pure connasse parce qu'elle est l'amie « ah, Justine t'es tellement une bonne amie, toi »

Je t'emmerde Philippe Jean

Je t'emmerde je t'aime

Je n'attends pas la fin du monde je t'attends

La dernière phrase n'est pas de moi mais elle est à moi c'est la mienne, Philippe Jean

Qu'est-ce qui me manque, à moi ? Pourquoi est-ce que je ne lui suffis jamais ?

Aujourd'hui j'en ai eu un. Des jours il y en a trois. D'autres il y en a deux. Parfois il n'y en a pas. Par exemple s'il manque l'école (six fois cette année). Ou si je manque l'école (jamais). Celui d'aujourd'hui c'était ce matin, juste avant le cours de maths. J'étais déjà assise en classe, il est arrivé après moi. Il riait parce que quelqu'un dans le corridor l'avait fait rire. Je ne sais pas qui. C'est sans importance. Ce qui compte ici c'est de l'avoir vu rire. Ses joues qui rougissent un peu, juste assez, quand il rit.

Sa nuque aussi. Ses joues et sa nuque rougissent exactement au même instant. Sa nuque, c'est encore plus émouvant. Parce qu'il y a le contraste de couleurs à la naissance des cheveux. Ils sont un peu blonds, un peu roux, ils ont souvent chaud, ses cheveux, ce qui les rend encore plus beaux, à cause du mouillé. C'est un cow-boy. C'est une vedette rock. C'est, sur la planète, le plus beau des humains. Je n'ai pas entendu la blague qui l'a fait rire ce matin. C'est sans importance. Ce qui compte ici c'est que lorsqu'il est entré et qu'il est passé près de mon pupitre, près de moi, il m'a servi son meilleur sourire. Meilleur comme dans quelque chose que l'on goûterait et dont on dirait : *c'est le meilleur que j'aie jamais mangé.* Il m'a souri de toutes ses joues rouges, de tous ses cheveux suants de basket-ball de cour d'école, il a souri de partout, et il a dit : *salut la rose.*

Dans ces moments-là je me dis que mon père a réussi au moins une chose avec moi, en s'appelant Larose et en me donnant son nom. Parce que, grâce à ce nom-là, Philippe Jean me traite de fleur.

Le mieux, c'est le téléphone. Quand il appelle, le reste du monde s'écroule comme à la fin d'un tableau dans un jeu vidéo, et je flotte dans l'espace, le fil du téléphone enroulé autour du poignet, béate. Quand il appelle, ça peut durer une heure. La dernière fois, c'était avant-hier. Quand Rosalie l'a quitté. Il était en miettes. Je le devinais dans ses « s ». Ses « s » deviennent nerveux, ils fuient, ils se remplissent d'air, quand il est triste. « Trihste », ça devient. Rosalie lui avait sorti : *j'ai besoin de ma liberté*. Il ne comprenait pas ce qu'elle avait voulu dire, il n'avait pas pensé qu'il l'emprisonnait. *Rosalie est énigmatique,* il a dit. Rosalie est conne, c'est clair, j'ai pensé. Mais j'ai répondu : *elle va peut-être changer d'avis*. Je suis très conne, c'est très clair.

Au téléphone, je n'ai pas d'orgueil, pas de fond, je suis une vraie junkie de lui. À la fin, il dit toujours, un peu embarrassé : *merci, man*. Pour que je connaisse mon rang, comme disait ma grand-mère. Je suis avec les *man*, pas avec les *Rosalie*, de ce monde.

À présent il va mieux, il n'a plus l'air de porter le poids de vingt siècles de chagrins d'amour sur ses épaules, il est dans la cour de l'école et il rit à nouveau. Dans une seconde je vais avancer. Dans une seconde mes pieds vont me porter jusqu'à lui et j'aurai droit à mon deuxième sourire de la journée. J'aurai des mots aussi. J'aurai une blague. J'aurai ses yeux dans les miens. Ses yeux me diront les mots qui ne se disent pas. Ils me parleront d'amour et de chaînes (*toutes choses qui ne se démêlent pas,* chante Leonard Cohen, que j'écoute le soir en comptant de mémoire les grains de beauté de Philippe). Il ne parlera de rien d'important, il me fera ce cadeau, me permettra de lui prêter toutes les intentions, me permettra, dans mon aveuglement, dans mon mensonge d'amour, d'oublier jusqu'à mon nom.

Je suis Justine.

Je suis l'amie, la fille, l'élève, la choriste.

J'ai quinze ans.

Je n'ai couché avec personne, mais ce n'est pas faute de l'avoir souhaité.

Dans ma tête seulement, parce que ce n'est pas le genre de chose qu'on dit à voix haute.

Si j'en parlais à ma mère, la peau de son visage outre-crémé craquerait, elle se liquéfierait sur place et le plancher serait tout cochonné.

Si j'en parlais à mon père, il serait obligé de constater son âge et il ferait une crise cardiaque, ce qui serait salissant aussi.

Si j'en parlais à ma meilleure amie Babette, elle serait mal à l'aise parce qu'elle, ça fait une grosse année déjà qu'elle le fait, et comme c'est une fille très bien élevée, elle ne m'écœure pas avec ça, et en retour je ne lui mets pas mon envie en plein visage comme un reproche.

Donc ça reste ici. *What doesn't happen in my bedroom stays in my bedroom.*

Je commence mon avant-dernière année d'école secondaire, et j'ai une affiche de Marilyn Monroe au-dessus de mon lit — celle où elle est accoudée à la fenêtre d'une chambre d'hôtel à New York, en peignoir blanc, fraîchement réveillée, le visage extatique, déjà tragique. Je voudrais être comme elle. Je ne veux pas sa blondeur ou ses bijoux. Ce qui m'intéresse, moi, c'est sa douleur. Le grand pouvoir de celle qui porte le mystère. Le destin. La fatalité. Genre. Ma tante préférée est un peu comme ça, elle aussi. Elle est venue souper hier. Elle avait les yeux flamboyants de tristesse. Elle avait eu une « opération », qu'elle a dit, pour ne pas parler devant moi de son avortement, un troisième en carrière. Celui-là, il a allumé le feu, comme on dit. Parce qu'elle a trop de peine et parce que c'est lui qui ne voulait pas de bébé, elle va peut-être devoir quitter son amoureux, qu'elle aime plus que son piano, ce qui n'est pas peu dire pour une pianiste. Elle avait mal, ça paraissait. Elle était belle.

Moi, j'essaierais très fort que je n'arriverais sans doute jamais à m'extraire du corps ne serait-ce que le quart de sa douleur à elle. Quelle douleur y a-t-il à être née sur le Plateau-Mont-Royal, dans les années 90, d'un père journaliste et d'une mère professeure, à fréquenter les bonnes écoles alternatives du Plateau-Mont-Royal, à passer mes vacances tantôt aux Îles-de-la-Madeleine, tantôt dans le Maine, tantôt dans les camps de vacances alternatifs que fréquentent les enfants du Plateau-Mont-Royal, à récolter de bonnes notes, à garder des enfants depuis l'âge de treize ans, à avoir eu l'ombre d'un chum quelque part en sixième année pendant deux grosses semaines, à aimer ses amies, à porter des tampons depuis trois ans, à vivre une harmonieuse garde partagée, à tripper années 60 et Janis Joplin comme tout le monde, quelle douleur y a-t-il, quelle moindre petite parcelle de douleur y a-t-il dans mon histoire ?

Ça y est, mes pieds me portent. J'ai des pieds qui marchent vers lui. Miron me souffle encore de tituber à lui de mourir de lui, et je crois que ça paraît, j'ai l'air d'une morte vivante, j'en suis certaine. *J'ai décidé que je ne vais plus t'aider, Philippe. Je ne vais pas t'aider à reconquérir Rosalie, Philippe. Impossible pour moi, Philippe. Tu vois, je ne peux*

plus être ton amie, Philippe. Il me voit. Sa main se lève, ses yeux se changent en U, ses dents récemment débrochées parfaites étincelantes me sourient. Max est parti, il est allé prendre le métro, il a disparu, j'adore Max d'avoir disparu. Philippe est seul et il me regarde. C'est à moi le signe de la main. À moi les yeux contents. À moi le sourire débroché.

— Ça va, Justine?

Il me demande ça, presque inquiet. Peut-être à cause de mon air. C'est l'air courageux de celle qui joue sa vie. Mais ça ressemble à l'air verdoyant de celle qui sent la gastro monter. Facile de confondre.

— Ça va, ouais, super bien. Toi, ça va?

Quand j'ouvre la bouche pour vrai, je ne suis *jamais* à la hauteur. La pochitude de ce que je peux dire quand je parle, le fossé incommensurable entre l'amour qui m'habite et les mots qui se forment entre mes dents, tout cela est tragique.

Désirer très fort la douleur, c'est

Ça, c'est douloureux, non?

Douloureux de se chercher une histoire, d'errer dans la solitude de mon âge malgré toute cette vie autour.

Et puis de voir les autres courir plus vite.

Et puis de se regarder dans le miroir et de se trouver laide.

C'est quand même un peu douloureux. Pas la fin du monde, évidemment.

Pas la violence, ou la drogue, ou « l'opération ».

Juste

Difficile. Décevant. Médiocrisant, je dirais, si c'était un mot.

Comme une série de promesses non tenues.

Si j'ai des enfants je ne leur raconterai pas de bobards. Pas d'affaire de leur faire gober que *le monde est un endroit merveilleux où tu t'épanouiras, poursuis tes rêves, cocotte, et tu les attraperas*. Pfff. Quand ça ? Où ça ?

Comment ça *sois patiente* ?

J'ai été patiente, j'ai quinze ans, bordel.

Non.

Moi, je leur dirai : *tu as bien raison d'être en maudit. La vie, c'est décevant. T'attends, t'attends, t'attends, et puis un beau matin t'es vieux, c'est ça la vie, mon enfant.*

Je suis Justine.

J'ai quinze ans.

Je m'appelle Larose, mais je n'en suis pas une.

Je suis un souci. Je suis une pensée. Je suis une *forget-me-not.*

Je suis une impatiente.

Il regarde ailleurs. Il forme un petit tas de cailloux avec son pied, comme si sa jambe était un balai sans porte-poussière. Notre conversation dure depuis deux minutes, et il a déjà amassé une bonne vingtaine de cailloux, en forme de colline. Il me regarde peu, m'écoute peut-être encore moins. Il est devant moi, mais il est ailleurs. Qu'importe, moi je suis en transe totale, mains moites joues rouges cœur de mitraillette qui tire sur tout ce qui bouge. Je vais parler.

— Philippe, je voulais te dire, tu sais pour Rosalie...

Lui aussi rougit. Ça ressemble à quand il rit, mais c'est encore plus beau, parce qu'il baisse les yeux. Clairement, c'est de bonheur qu'il rougit. Et comme l'idée qu'il rougisse à la seule évocation du nom de Rosalie est intenable, je me convaincs qu'il rougit par politesse. Maladroit, romantique, un vrai personnage de Jane Austen. Voilà ce que je me martèle dans la tête. Pour ne pas mourir.

— Ouais, moi aussi, je voulais te dire... C'était cool au téléphone l'autre jour. Ça m'a aidé.

Ne pas mourir. Ne pas mourir.

— C'était rien, que je réponds.

Ne pas laisser mes jambes se sauver sans moi.

— Non, c'était cool. Parce qu'en plus j'ai... J'ai réussi à... Finalement elle a...

Il me reste exactement douze secondes avant de m'effondrer, parce que je devine ce qu'il veut me dire, et je devine aussi ce que je m'apprête à voir. Rosalie Mange-Marde qui sort par la porte principale. Qui voit. Qui sourit. Qui envoie la main. Qui s'en vient. Qui passe son petit bras de porcelaine de fille bénie autour de la taille de Philippe Jean. Qui embrasse Philippe Jean. Devant la rose déterrée.

— Bon, à demain, Justine?

Philippe Jean rougit encore quand il s'en va. Et tout à coup tout devient très clair. Ce n'est pas de bonheur qu'il rougit, c'est de malaise. Il est mal à l'aise. Il sait. Il sait tout et il est mal à l'aise. Ça le gêne. *Parfois je m'assois par pitié de moi.* Ça dit ça aussi dans le poème de Miron, et c'est ce que je ferais, je m'assoirais sur les restants de bouette de pluie sur l'asphalte de la cour et je m'enduirais de fange, si mes jambes n'étaient pas paralysées. Je suis immobile au milieu de la cour, je suis debout, figurante parmi les figurants.

Je n'ai plus de visage pour l'amour
Je n'ai plus de visage pour rien de rien

Que je me répète en maudissant Gaston Miron et tous les poètes de montrer la douleur plus belle que la douleur ne l'est en réalité. Ma douleur à moi est laide. Humiliée, ridicule, ma douleur a les mains moites et des boutons dans la face.

Il me reste exactement vingt-trois minutes avant d'atteindre la porte de chez nous. Vingt-trois minutes avant de pleurer. Allez, jambes figurantes, tournez les pieds, direction nord, vers l'arrêt de la 80 avenue du Parc.

Mais une main se pose sur mon épaule. Une main sur mon épaule et je recommence à sentir mes orteils. Ma tête se tourne (moi, je suis encore sur Philippe et Rosalie qui sortent de la cour en s'embrassant, mais ma tête, elle, se tourne). Babette est là. C'est sa main sur mon épaule. Elle a vu. Elle sait. Et parce qu'elle est très bien élevée, parce qu'elle est mon amie, elle ne parle pas de lui ni d'elle, elle ne parle pas du désastre. Seulement :

— Allez, tourne tes pieds. Direction nord.

Nous sortons de la cour, elle me donne le bras comme à une grand-mère courbée. C'est ce que je suis, avec mes jambes brisées d'amoureuse en premier deuil. Nous passons par le dépanneur chercher un sandwich à la crème glacée. Et en silence, nous portons ma douleur, mon aveuglement, nous portons mon secret, jusqu'à l'arrêt de la 80.

Marie-Chantale Gariépy

Vitriol Rose

— Tu m'en veux encore pour ce divorce entre ton père et moi ?

Je hausse les épaules. Au minimum une fois par semaine ma mère me soûle avec ça, arborant son air contrit d'épagneul triste. Ce n'est pas ma faute si mes parents se sont séparés ; je n'ai pas à porter le fardeau de ses regrets.

— Brigitte s'en tire mieux. Je m'inquiète pour toi, ma puce, enchaîne-t-elle.

On sait bien, ma sœur, Miss Perfection, candidate à l'adoration, fille à maman chez maman, fille à papa chez papa, celle qui dit ce qu'on attend d'elle quand il le faut, jolie, féminine, studieuse, bref, quoi de plus normal qu'elle vole au-dessus de la mêlée ? Pfff. Car tout ce qui ne concerne pas madame directement trouve peu d'intérêt à ses yeux. Entre son nombril et son imbécile de copain qui le pourlèche, elle ne s'aperçoit pas que le monde s'écroule. Les gens qui n'en ont que pour eux-mêmes s'emparent de la moindre parcelle d'air ; les autres n'ont qu'à s'étouffer. Impossible d'épancher mes frustrations familiales auprès de ma meilleure amie Maude : les enfants uniques ne comprennent pas les lois qui régissent les liens fraternels. Elle trouve ma sœur cool ! Je perds une alliée pour le camp des retranchés.

Le chaos affectif qui règne dans nos vies s'étend bien au-delà des limites de notre maison. À la grandeur de la planète, le mal du siècle sévit. Faut pas être naïfs, l'amour est le seul coupable. Il y en a pour scander que c'est le sida, le cancer, l'état misérable de notre planète poubelle, mais ils se trompent. Sous des airs de pureté, l'amour corrompt tout. C'est un rusé. Il vous séduit puis vous détruit.

Partout autour de moi, on s'aime (« on » exclut la personne qui parle) ou on cesse de s'aimer. Marcel fut le premier à me briser le cœur. Il est mort. Pour ce basset, j'ai pleuré toutes mes larmes d'enfant. Kafka, mon gros félin roux, m'a aidée à m'en remettre. Pourquoi faut-il tant souffrir pour apprendre ? Je n'en suis pas restée là. L'année dernière, j'ai perdu les pédales pour Antoine, un fils de diplomate qui ne ressemblait à personne. Réservé, souvent absent, donc mystérieux, Antoine avait l'aura des grands de ce monde. Jusqu'à ce que je le batte au sprint de cinquante mètres. Déjà, j'avais une bonne foulée ! Il l'a avalé de travers. Les garçons ne supportent pas que les filles les éclipsent. Ce fut ma première collision avec l'ego masculin.

Depuis, je me tiens tranquille. Je ne peux pas en dire autant des miens. Tous n'en ont que pour l'amour, de nos jours, et ça commence à m'énerver.

Pour faire un portrait rapide de ce qui prévaut dans cette maison, le divorce nous a décimés il y a six mois à la suite d'une incartade de papa : maman l'a foutu à la porte. Quelle est la plus grande trahison paternelle : avoir succombé à son désir pour une autre femme ou m'avoir abandonnée derrière ? Car au fond, papa, c'est toi mon premier amour, non ? Entre nous, je veux bien lui pardonner, mais cela prouverait encore une fois que l'amour se mêle de tout et brouille les cartes. Car je devrais lui en vouloir.

Puis, la maîtresse de papa n'a plus voulu de lui, car il lui avait menti à propos de sa petite famille. Maman ne le reprendra pas non plus. Il loue désormais un appartement dans une tour du centre-ville et je ne sais pas ce que l'avenir lui réserve.

Le seul grand-père qu'il me reste, pour sa part, se marie à une femme de trente ans sa cadette qui, même s'il l'a rencontrée sur le parvis de l'église, en a sans doute après son argent. Pourquoi une femme dans la mi-quarantaine voudrait-elle d'un mari de soixante-dix ans si ce n'est pour sa fortune ?

Enfin, tous les vendredis soirs, sur le sofa du sous-sol, ma chère sœur roule des pelles à son abruti de pseudo sportif avaleur-de-stéroïdes qui faufile maladroitement ses grosses paluches sous le t-shirt trop serré de madame. N'a-t-elle pas une once d'intégrité ? Même mon chat a une copine, je les entends la nuit, dans la ruelle, hurler leur désir. Ce n'est pas au printemps, le rut ? Il ferait bien mieux de dormir avec moi.

L'amour est un monstre à qui on a beau trancher la tête, elle repousse aussitôt. Dans notre société, quand on n'est pas en couple ou en rupture ou en train de séduire ou de fantasmer, on n'existe plus. Bizarrement, mon cœur bat toujours et je continue de me réveiller chaque matin. Moi, l'amour, j'espère bien lui échapper. Je ne vois vraiment pas ce que je pourrais en tirer.

Ma mère tripote nerveusement son bracelet. Sur ses ongles habituellement si soignés subsiste encore un peu de vernis rose. Le stress la ronge et le mariage qui s'en vient ajoute à son fardeau. Je me demande bien pourquoi elle s'en fait autant avec ça.

— Gabrielle, tu as pensé à quelque chose pour souligner l'événement ? s'enquiert-elle.

— Non, je ne crois pas y aller, marmonné-je, évasive.

Qu'ont-ils tous à se réjouir de cette union tardive et ridicule ?

— Tu veux briser le cœur de ton grand-père ? Vraiment, ma fille, je ne te comprends plus ! Où s'en va la jeunesse, j'aimerais bien le savoir ?

— Vers le bas, maman, vers le bas, tranche ma sœur en passant.

Ce qu'elles me tombent sur les nerfs toutes les deux, toujours si complices.

Ouf, vivement sortir de cette maison ! Qu'on me sépare de ma fratrie ! Au moins, à l'école, j'ai quelques heures de répit.

— Je suis amoureuse.

Maude m'annonce la chose comme s'il s'agissait du scoop de la semaine. J'hésite entre répondre « encore ! » ou « déjà ? ». Dans l'incertitude je m'abstiens, préférant observer les étudiants venus manger leur lunch sur la pelouse.

— Il est craquant le prof d'éduc, non ? Bizarre que je ne l'aie pas remarqué avant. En plus, c'est ton entraîneur. Tu es chanceuse !

Ses yeux pétillent. Maude a beau être une machine à flirt, j'ai peine à croire que ce bizarroïde macho, trop bronzé, trop gentil, trop dynamique, lui plaise. Je me méfie de lui, les gens qui sourient tout le temps sont louches.

— Il a un beau corps, m'assène-t-elle.

— Ce qui m'embête, c'est que ce soit ce critère-là qui te charme, Maude. Je nous croyais différentes, au-dessus de considérations de ce genre... Vais-je pouvoir t'accorder l'honneur d'être ma meilleure amie encore longtemps ? ironisé-je.

Maude ne me répond pas, m'a-t-elle seulement écoutée ? De plus en plus, elle me fait songer à ma sœur. Elle s'anime seulement sous le regard des garçons. Je claque des doigts devant ses yeux.

— Wouhou, il y a quelqu'un?

— Je réfléchis, me lance-t-elle sèchement. Toi, à part le sport, rien ne fait battre ton cœur. Alors les hommes...

Maude, Maude, Maude. Tu vis dans ta tête. Si tu crois qu'un prof de trente ans passés s'intéresse à toi... Et si c'était le cas, ce serait une catastrophe : les prisons déborderaient de pédophiles.

— Justement, je dois m'entraîner pour une course. On se voit plus tard. Oublie cette histoire ridicule. Je vais encore te ramasser à la petite cuiller.

Je souris à Maude parce que sinon elle va se vexer, s'imaginer que je la juge. Elle recherche tellement l'approbation.

Les ados ne sont donc pas différents des septuagénaires et ne se rendent pas compte que l'amour dans le monde, comme la paix, c'est du charabia. Ça finit toujours mal.

Courir est ma passion. Rien ne se compare à l'ivresse de la course quand, concentrée, je sens mon cœur battre dans mes tempes. Chaque enjambée se solde en un long vol plané.

— Ton temps s'améliore, Gabrielle.

— Gab.

— Arrête avec ce surnom !

— J'insiste.

— Une jolie fille comme toi, déterminée, devrait être plus féminine.

Je dévisage mon entraîneur qui retire ses lunettes fumées pour mieux me détailler. Il n'y a pas d'âge pour dire des âneries, semble-t-il.

— Je dois avoir la « magic touch », reprend-il en changeant de sujet, parce que ta technique se perfectionne sans cesse.

— Je suppose...

Ce qu'il peut être lourd ! Son autre poulain, un sprinter de seize ans bourré de talent, vient d'arriver sur la piste de course et se poste derrière lui. Il se racle la gorge. Nous échangeons un regard, moi blasée, lui perplexe.

— Ah, Victor. Tu es en retard. La prochaine fois, viens t'entraîner à la même heure que Gabrielle. Ça vous fera du bien de vous mesurer dans les couloirs ! affirme notre entraîneur enthousiaste.

— Gab, soupiré-je, excédée.

— Hmm, hmm, acquiesce Victor.

— Bon entraînement, aujourd'hui. J'espère un podium pour toi, cette année ! Tu ne me décevras pas ?

Des fois, je l'écoute et je n'en reviens tout simplement pas.

— À la douche, maintenant. Tu dégoulines de sueur !

Il me masse les omoplates quelques secondes qui me semblent une éternité. Je remarque la fugace expression nauséeuse de Victor.

Je ramasse mon sac de sport, ma bouteille d'eau tout en continuant de sentir le regard visqueux du coach dans mon dos. Maude aimerait sans doute être à ma place !

Les vestiaires du centre sportif sentent l'eau de javel, la sueur et l'humidité. Aussi bizarre que cela puisse paraître, cette odeur me grise. Je me glisse sous une douche chaude. Les miroirs du mur d'en face se couvrent de vapeur et j'aime particulièrement ce moment où mon reflet s'efface.

Soudain, il me semble entendre une porte s'ouvrir ou se fermer. Pourtant, je suis généralement seule à cette heure tardive. Mon sac est resté sur un banc, je ne veux pas qu'on me le vole. Saisie d'une légère angoisse, je ferme les robinets et m'enroule dans une serviette. L'espace d'une seconde, je crois reconnaître la silhouette de mon entraîneur dans le miroir embué. Voilà que j'hallucine maintenant.

Devant les casiers, mes affaires sont là, intactes. Le silence n'est troublé que par l'eau qui s'écoule vers le drain. J'enfile mes vêtements et sèche mes cheveux en vitesse avant de déguerpir.

— Au cas où tu n'aurais pas remarqué, c'est occupé.

Ma sœur fait irruption dans la salle de bain où je me brosse les dents. Elle entreprend de se nettoyer les oreilles avec un coton-tige.

— Tu es vraiment ingrate, me lance-t-elle. Manquer le mariage de grand-papa, samedi...

— Et pourquoi irais-je ? Donne-moi une seule bonne raison d'assister à ce massacre ? Il va se faire saigner par cette profiteuse.

— Bravo pour le romantisme.

— Oui, j'ai hérité ça de papa.

J'aime bien remettre sous le nez de ma sœur que je m'entends mieux qu'elle avec mon père, et ce, malgré tous les petits stratagèmes de séduction qu'elle déploie.

Brigitte croise les bras.

— Qu'est-ce qu'une pucelle comme toi connaît à l'amour?

— Et toi? Ton ignorant de footballeur ne sert qu'à te complimenter et tu me donnes des leçons?

Offusquée, ma sœur essaie de m'ébranler:

— Tu n'as jamais dépassé la phase où un jeune trouve ça dégueulasse d'embrasser l'autre sexe.

Entend-elle « sur la bouche »?

— Si tu ne crois pas à l'amour, c'est que tu es frigide, décrète madame.

Depuis sa majorité — il y a quinze jours —, ma sœur s'estime encore plus supérieure, si cela est possible. Du haut de son piédestal, elle me voit toute petite. D'ici, cependant, je serai aux premières loges pour la voir tomber. Je décide de ne plus me laisser atteindre par ce que mon aînée pense de moi.

— Fais attention avec tes Q-tips, lui dis-je en sortant, il y en a qui se sont crevé les tympans. S'il fallait que tu ne puisses plus entendre la poésie de ton amoureux...

Et vlan.

Déjà 8 h 15, je suis en retard. Je ramasse en vitesse un yaourt au frigo et m'élance sur le trottoir. Ma mère trottine en talons hauts à mes côtés, coincée dans un petit tailleur imitation Chanel. Avec mes baskets, je marche beaucoup plus vite qu'elle et je n'ai pas l'intention de ralentir. J'ai un bus à attraper.

— N'y a-t-il pas un garçon susceptible de t'accompagner au mariage ? halète-t-elle en tentant de me suivre.

— Non, maman, je n'ai pas le temps. Je me concentre sur l'entraînement et...

— Ce sont les garçons qui ne t'intéressent pas ou eux qui ne s'intéressent pas à toi ? poursuit mon assaillante. Si tu t'arrangeais un peu, aussi... Regarde-moi ce vieux jogging ! Achète-toi les nouveaux modèles Juicy ou Billabong ou Baby Phat. J'en ai vu un rose très mignon...

Nous voilà devant l'arrêt d'autobus. Mais rien n'arrête ma mère.

— Ce n'est pas parce que ton père et moi ne vivons plus ensemble qu'il faut mettre tous les hommes dans le même panier...

— Écoute, maman, j'aimerais que tu me lâches un peu avec ça.

À son âge, ma mère devrait pourtant avoir compris que l'amour, dès le premier, ça vous empoisonne comme le fait une drogue. Ensuite, on passe son temps à vouloir revivre l'effet initial, la montée euphorisante, le cœur qui bat la chamade, les paumes moites, les hallucinations, les phéromones en liesse. Je n'ai pas besoin d'y laisser ma peau pour en constater la toxicité.

L'arrivée du bus me sauve. Je me faufile entre les passagers. Par la lunette arrière, je vois ma mère plantée là, regardant le bus s'éloigner. Un étrange sentiment de pitié m'envahit : elle ressemble à une enfant qu'on abandonne dans une ville inconnue.

« Go, Gab ! Go ! »

Victor lève les yeux vers les estrades qui ceinturent la piste de course du centre sportif où nous nous entraînons, puis il se décide à m'adresser la parole.

— Tu as un fan-club, maintenant? Qu'est-ce que ce sera quand tu auras terminé tes étirements? Une équipe de majorettes?

— Ah, elle? C'est ma copine Maude. Je ne crois pas qu'elle soit ici pour moi. Tu es inscrit aux finales?

— Affirmatif.

Victor est très focus focus focus.

Nous continuons nos exercices en attendant que le coach daigne nous rejoindre, trop occupé à s'entretenir avec mon fan-club.

— Il ne sert qu'à chronométrer, celui-là, soupiré-je.

— J'ai hâte que son contrat achève, râle Victor. Je n'ai jamais aimé ce type. Ce ne sont pas les bons entraîneurs qui manquent, pourtant.

— Le voilà justement.

Ce dernier sourit bêtement, dans sa tenue sportive dernier cri aux couleurs vives, bouteille d'eau à la hanche et bandeau sur le front.

— Gabrielle, tu devrais convaincre ton amie de se mettre au sport, dit-il.

Je ne sais pas ce qui s'est produit, ce qui m'a fait tomber. Tout ce dont je me souviens, c'est d'être partie en flèche au top chrono, puis d'avoir ressenti une douleur ardente dans la cheville, comme si on m'arrachait le pied.

Cela fait une semaine que je boite. Satanée articulation disloquée. J'en ai marre d'être cloîtrée à la maison. Au moins, j'ai pu éviter d'assister au mariage. Maude m'apporte les notes de cours et les devoirs. Cet après-midi, elle ressemble à une gamine qui s'apprête à faire un mauvais coup.

— Le prof de gym t'a parlé de moi? me questionne-t-elle, coquine.

Je suis forcée de manquer le sprint qui devait me couronner championne de la compétition, et tout ce que ma meilleure amie trouve à faire, c'est sonder son pouvoir de séduction?!

— Tu penses encore à ça, Maude? Laisse-moi tranquille à la fin. Non, il ne m'a rien dit, à part que tu devrais faire du sport.

— Pourquoi? boude-t-elle.

— Écoute, Maude, il pourrait être ton père, alors tu nages en plein délire hormonal si tu veux baiser avec un vieux. Ça ne tourne pas rond là-dedans!

— Je ne veux pas baiser avec lui! C'est dans ta tête que les fils se touchent, s'écrie-t-elle en sortant de ma chambre, furieuse.

La vie est nulle. Je suis nulle. Je suis d'une humeur massacrante depuis l'accident. Prenant mon courage à deux mains, ainsi que mes béquilles, je me rends au centre sportif assister aux derniers entraînements en prévision des qualifications de demain. Je devrais être là, sur cette piste, mais je sèche dans les gradins avec ma cheville emballée.

Après son sprint — son meilleur temps depuis le début des entraînements —, Victor me rejoint.

— Salut. Ça va, ton pied?

— Bof. Avec cette entorse, je ne cours pas, alors...

— Ouais. C'est poche.

Victor me fait penser à Antoine. Ils ont en commun une économie de parole tout à leur honneur. En examinant

son profil, je me fais la remarque qu'il n'est pas particulièrement beau. Nous observons l'entrée en piste de l'équipe
junior et le début de leur entraînement. Victor rompt le
silence :

— Avant de partir, va voir le coach. Il veut des nouvelles de ta cheville. Prends soin de toi, Gab.

Il a utilisé mon précieux diminutif.

Dans le placard qui lui sert de bureau, mon entraîneur
a le nez plongé dans des dossiers. Il me fait asseoir sur
le petit canapé en m'entretenant d'une nouvelle technique de massage : il possède une prétendue formation en
médecine sportive. Installé sur un pouf à roulettes devant
moi, il relève mon pantalon au-dessus du genou.

— Je m'excuse de ne pas avoir pris de tes nouvelles
avant, dit-il en pétrissant ma peau, au-delà du mollet.

Ses mains bronzées et poilues devraient être chaudes
et pourtant leur contact est glacial. Je ne le regarde pas,
je fixe ses doigts, les pressions s'adoucissent de plus en
plus. Le coach jette des coups d'œil vers la porte du bureau.
Au même moment, Victor entre en trombe.

— On ne t'a jamais appris à frapper avant d'entrer ?
s'indigne notre entraîneur.

— Désolé. Il y a une fille dehors qui dit que vous avez rendez-vous.

Victor s'efface pour me laisser le champ libre tandis que je claudique hors du bureau.

Maude fait le pied de grue au bout du couloir, vêtue d'une petite robe légère.

— Tu viens te renseigner sur les programmes d'activités parascolaires ? sondé-je, incrédule.

— Exactement.

Elle a un drôle de regard, pensé-je, on dirait les yeux d'une hypnotisée.

— C'est par là, lui indique Victor. Gab, tu as besoin d'aide pour gravir les escaliers ?

Ainsi, je suis remontée à la surface tandis que Maude, anormalement excitée, s'est dirigée dans la gueule du loup.

Voilà bientôt trois semaines que je me suis blessée. Depuis, mon grand-père est devenu un jeune marié, mon père m'a enfin proposé d'emménager chez lui pour l'été, ce à quoi ma mère ne s'oppose pas. Il faut parfois lâcher prise pour sauver des relations. Nous avons décidé de faire castrer Kafka qui nous empêche de dormir.

Dans le café étudiant où je me trouve, un couple de tourtereaux apprend par cœur le moindre relief de leurs cavités buccales respectives, sans doute de futurs diplômés en dentisterie. C'est grotesque.

— Je peux m'asseoir ici ? Il n'y a pas d'autres prises et la pile de mon ordi est morte.

Tiens, c'est Victor. Il vient ici, maintenant ?

— Mais, oui, vas-y.

Je me tasse un peu sur la banquette. Et soudain, cela me frappe de plein fouet : c'est fou ce qu'il sent bon ! Mes narines s'élargissent pour laisser entrer le plus possible son odeur enivrante. Wow. Je n'ai pas l'habitude de le voir en vêtements de tous les jours. Il boit à petites rasades une boisson énergisante bleue.

— Tu as su pour le coach ? m'interroge-t-il de but en blanc.

— Et comment ! C'est moi qui ai déposé la première plainte...

— Ah bon ! ?

— D'abord, je n'ai rien dit. J'ai eu peur de nuire à mes chances de réintégrer l'équipe. Après tout, les consciences ont un angle mort. Mais dès que j'ai vidé mon sac, d'autres l'ont fait, dont Maude.

Victor m'écoute attentivement, il a l'air sincèrement troublé. Il me semble soudain que nous sommes seuls dans ce café.

— Tant mieux s'il s'est fait pincer. C'est tout ce qu'il mérite, tranche-t-il.

Je lorgne l'écran de son ordi. L'image est vraiment belle. La photo d'un marathonien dans le désert.

— C'est quoi ? questionné-je.

— Un montage photo pour mon cours.

— Tu veux devenir photographe ? Je croyais que tu te destinais à la course ?

Décidément, ce garçon me surprend.

— Le sport sert à me défouler.

Victor sourit. Il a remisé son air taciturne.

— La photo, c'est ma passion. Promesses d'un bel avenir, hein ? reprend-il.

— Hi hin hin rron.

Oh, le rire niais que je viens d'émettre. Une poule aurait mieux fait.

— C'est beau, tu as du talent.

— Merci.

Mes quelques aveux et cet échange passionné ont dissipé ma mélancolie des dernières semaines. Ça fait tellement de bien de parler à quelqu'un.

— Tu vas revenir à la piste quand tu seras guérie?

— Oh oui!

— Tu as une belle foulée...

— Cheville foulée, oui!

Nous éclatons de rire. Ayoye.

— Tu veux assister à la course junior, jeudi? propose Victor en rangeant ses affaires.

Il part déjà? Je me donne un ton volontairement relax, détaché:

— Ça pourrait être cool.

— On se voit au centre jeudi alors. À quinze heures?

— Parfait!

Je dissimule mal mon enthousiasme.

Quand il s'est penché pour débrancher son portable, j'ai pris une dernière petite sniffe de son parfum. Dire qu'on est seulement lundi. Je le revois dans soixante-douze heures.

Dans quarante-huit heures...

Plus qu'une journée...

Gabrielle et Victor, ça sonne bien, je trouve.

Que vais-je mettre pour assister à la course, l'ensemble noir ou le bleu et jaune? Ai-je le temps d'acheter le modèle rose dont m'a parlé maman? Je suis une fille après tout, un peu de couleur ne me ferait pas de tort.

Je ne connais qu'une personne qui puisse m'aider.

— Allo, Maude? C'est moi. Tu vas mieux? J'ai besoin de ton expertise, si tu veux toujours être mon amie évidemment...

Catherine Lalonde

Cerises givrées

Je crois que je suis au paradis. Sur le balcon, en plein soleil, Roumy et moi on se fait dorer comme des lézards. On pourrait croire que c'est l'été sans ce petit vent de début mai. Nos lunettes fumées, dénichées à la friperie, nous font d'énormes yeux de mouche. Du fin fond du salon, Boris Vian chante dans les haut-parleurs sa java atomique. Y a que nous à l'école qui écoutons ça. Et qui portons des lunettes très star des années soixante, achetées à la friperie de Mémé Bordel. La musique joue à tue-tête, le volume au maximum. Les voisins sont partis, y a pas de limites. À nos pieds, un grand saladier de cerises de France. Un immense bol de cerises, dans lequel on pige depuis une heure comme de paresseuses reines romano-égyptiennes, en accumulant les noyaux plein nos bajoues.

Soudain, Roumy crie par-dessus la musique. Son excitation me fait sursauter:

— Regarde! En voilà un!

Elle pointe un passant qui vient de tourner le coin de la rue. Il s'amène petit-peta, directement sous notre balcon. Héhéhé. Enfin LA cible parfaite, un inconnu qui a la poisse de se risquer, sans le savoir, sur notre territoire. Pauvre inconscient! Nous sommes prêtes, armées jusqu'aux dents, les joues durcies de pépins de cerises, des écureuils fous parés à récupérer manu militari la dictature de leur rue. Le plus dur est de ne pas éclater de rire, de ne pas cracher d'un seul coup nos munitions.

Pour que nos balles atteignent notre victime, nous nous servons — pour une fois! — d'un calcul mental avancé. Si un noyau de cerise N propulsé par l'expiration en $1/8^e$ de seconde de 50 cm³ d'air doit passer entre les branches de l'érable E pour atteindre la cible C, quelle vitesse, en considérant la force gravitationnelle, le noyau N aura-t-il atteint lorsqu'il frappera C? Du grand art. De la virtuosité. De la technique. Et du style, mesdames et messieurs, du style!

Roumy tient ma main, j'attends son signe, les poumons bien gonflés. J'ai tant de noyaux dans la bouche que la peau me tire. Ça fait délicieusement mal. Juste au moment où je n'en peux plus, où je vais tout cracher, Roumy serre mes doigts: c'est le signal. Et taïaut! Tir à volonté et dure volée pour notre persécuté. Notre cible C, criblée, la chemise tachetée de petits picots rouge cerise, se fige sous les impacts, incrédule, sans comprendre ce qui lui arrive.

L'homme finit par lever les yeux pour repérer la source de ses malheurs. On est tranquilles : impossible de nous reconnaître avec ces lunettes qui nous bouffent la moitié du visage. Parfaitement incognito. On peut mitrailler solide, jusqu'à l'abdication, jusqu'à ce que notre pigeon d'argile s'enfuie en se protégeant la tête et en criant des insultes aux jeunes connes insolentes que nous sommes. Je voudrais que ce carnage ne finisse jamais, mais impossible de poursuivre tellement je ris. Et Roumy rit aussi et son rire me fait rire. Deux folles braques tordues sur le plancher du balcon, j'en ai mal au ventre, et vitevite-viteeeeeeeee je dois trouver la force de courir jusqu'aux toilettes.

Roumy est ma meilleure amie depuis la première année. On est toujours ensemble, comme deux doigts de la main, deux flocons de neige. Pas tout à fait pareilles, mais de la même race. Des jumelles de cœur. Comme 1 + 1 = nous. Des canailles, des zamies avec un grand Z, de jeunes connes insolentes, 2 gether. Même si on se chamaille, si on s'engueule, elle est ma plus, ma meilleure, ma mienne. Une amitié tout-terrain, qui résiste aux pires humeurs et aux crises de filles. Tout devient facile avec elle. Parler, étudier, rire, pleurer, écouter des films de peur, manger du chocolat aux pinottes.

S'il arrivait une terrible catastrophe mondialo-nucléaire, s'il ne restait sur terre que moi et une seule, une unique autre personne, ce serait Roumy. C'est notre beau cauchemar. On se raconte les détails : comment le monde explose dans une java atomique, comment on voit les gens mourir en d'atroces souffrances. On marche des jours et des semaines sans rien trouver à manger, nos vêtements se déchirent, on s'affaiblit mais toujours on continue, acharnées à vivre. Nos pères et nos mères mourraient aussi, naturellement. On serait les seules survivantes. J'aime cette histoire, même si chaque fois qu'on se la raconte, je vide une boîte de kleenex tellement je pleure. Même si ensuite je me sens mal, pour mon père et ma mère et Émilie ma petite sœur, d'avoir imaginé les perdre. Mais au fond de moi, c'est avec Roumy que j'aime rêver de survivre.

Et cet été, pratiquement seules au monde, on est presque au paradis. Un paradis de quatre pièces et demie. À deux rues de chez Roumy, trois rues de chez moi, dans l'appartement de son oncle, parti trois mois en Italie sur la route des vins. Pendant son absence, Roumy doit passer tous les jours à l'appartement après l'école: nourrir et flatter l'affreux chat calico au nez écrapouti, arroser les plantes, entrer le courrier. Depuis déjà quatre semaines, dès que la cloche sonne, on court se réfugier dans ce chez-nous pas à nous. On ne s'occupe pas trop du chat qui nous ronronne dans les pattes, en quête d'affection. Pauvre minou, joyeux nous! Home sweet home, tranquillos.

Nos parents croient qu'on en profite pour étudier loin du vacarme des petits frères et sœurs. Ils trouvent même que c'est une bonne idée «d'investir dans nos résultats scolaires». Alors que, sincèrement, ON NE FOUT RIEN! Nous avons de bonnes notes, très très bonnes même. Sans travailler, mesdames et messieurs! Y a pas de justice, on en profite. Alors on envahit l'appartement, on rit, on parle, on mitraille de noyaux de cerises les passants, on visionne la collection de films de l'oncle, enregistrés à la mitaine sur de vieilles cassettes VHS. De précieuses, précieuses heures, seules ensemble.

Quand je reviens du petit coin, je trouve ma Roumy couchée de travers sur le divan, jambes en l'air et tête en bas. Je l'imite, prends la pose, tout contre elle. C'est bon pour la circulation sanguine, pour éviter les varices. Si les magazines le disent... Et vaut mieux prévenir que guérir! En regardant ses échasses, Roumy entame son éternelle complainte et tente de me convaincre une fois de plus que ses genoux sont laids, horribles, défigurés. Vrai qu'ils sont marqués des cicatrices de ses chutes de vélo. C'est une grande maladroite, ma Roumy, toujours enfargée dans ses pattes, toujours à tomber, échapper, renverser. Mais c'est qu'«on s'en fout de tes cicatrices!» que je lui dis, «ils sont super normaux tes genoux».

— Non mais normaux, c'est pas assez et regarde comme ils sont laids, tout secs. J'ai les genoux CAGNEUX!

— Ah non, tu ne vas pas recommencer!

Roumy adore utiliser des mots que personne ne connaît. Ça m'énerve, ça me tape, ça m'agace, et elle le sait et le fait exprès. Je la soupçonne de ne pas savoir vraiment ce que ces adjectifs tirés par les cheveux signifient. Je me lève subito, prête à la coincer à son propre jeu, et vais chercher le dictionnaire, dans la bibliothèque, en haut à droite.

CAGNEUX. Entre CAGNE et CAGNOTTE. Je cache la définition derrière ma main.

— Alors, ma chère, explique-moi pourquoi ils sont cagneux, tes genoux.

— Ils tournent par en dedans, comme s'ils allaient pleurer. Et avec toutes ces marques sur la peau... Ils sont

CAGNEUX, je te dis, fripés, hideux, monstrueux, difformes.

Je lève ma main pour la faire taire avant de lire à voix haute ce que révèle notre toujours exact Petit Bob :

— CAGNEUX : vilains, osseux. Pas précisément ta définition, mais pas trop loin... Comme des genoux de vilains petits cagnards.

Je continue de chercher dans la colonne des mots, je ne la laisse pas en placer un :

— ... comme si tu avais perdu à la cagnotte des articulations. Tu devrais les cacher sous cagoule, sous caftan, ma pauvre, comme ça, on n'aurait pas besoin de détourner le regard quand tu mets des jupes.

Roumy me donne des coups de coussins en rigolant, pour me faire taire. Il n'y a qu'elle qui a le droit de critiquer ses genoux.

Quand elle cesse de m'assommer et que les coussins et nos cheveux reprennent à peu près leur place, j'étire mes orteils vers le ciel et les écarte en éventail :

— Moi, ce sont mes pieds que je déteste. On croirait des cochonnets sans queue. Trop roses, trop joufflus. Aucune classe. Aucun style, mesdames et messieurs !

— Attends, répond Roumy avec sa face des mauvais tours, je vais t'arranger ça en deux temps trois mouvements, moi.

La voilà qui virevolte à travers l'appartement et s'engouffre dans la chambre de l'oncle. Elle en revient, toujours dans un petit galop tourbillonnant, un soulier dans chaque main, les bras étendus comme des ailes d'avion. Elle dépose à mes pieds, très cérémonieusement et en faisant la révérence, une paire de talons hauts dorés. De talons très, très hauts.

— Dis-moi que ce n'est pas à ton oncle, par pitié!

— Mais non, me répond-elle, je les ai achetés avec mon argent. Cadeau de moi à moi avec beaucoup d'amour! Mais je préfère les garder ici. Tu connais ma mère, si elle les voyait, elle ferait une crise cardiaque.

Roumy s'agenouille pour me glisser aux pieds ces escarpins aux talons si fins, piquants comme une aiguille. je deviens Cendrillon, une princesse très star, avec Roumy et le monde à mes pieds. Je baisse la tête pour cacher ma gêne. Le soulier me sied parfaitement. 1 + 1 = nous, jumelles de cœur, jumelles de pied. Roumy et moi chaussons la même pointure, exactement.

Je me lève, chancelante comme la tour de Pise, grande

ado sur pilotis, et fais quelques pas au péril de mes genoux. Mes chevilles tournent, je me sens Bambi sur la glace, flamant rose fragile, mante religieuse en déséquilibre, mais j'ai mon orgueil. Je lève le menton et m'obstine à marcher droit. Je voudrais mes pas solides, mais ce ne sont que de tout petits pas de tout petits petons. Je dois davantage avoir l'air d'une sauterelle boiteuse que d'une vedette de films mélos sur cassette VHS. On repassera pour la grâce, la virtuosité et la féminité de la technique. Roumy me regarde, un drôle de sourire au coin des lèvres, et me lance que je ne sais pas marcher. Ça va, on sait. Je retire les chaussures et les lui tends, avant de m'asseoir sur le fauteuil en me massant les chevilles. À son tour, pour voir.

Elle enfile les stilettos, avance précautionneusement. Pas moins maladroite que moi. Sa colonne ondule, ses hanches balancent. Le moins qu'on puisse dire, c'est que les talons lui font une drôle de démarche. Je ne suis pas sûre que ça soit beau. Mais ça me fait rire. Sa maladresse, la longueur de ses jambes, ses genoux qui tombent plus que jamais vers l'intérieur, c'est une autre Roumy que celle que je connais. Elle s'obstine. Et plus je rigole, plus elle se pavane, à deux doigts, sous mes yeux, me frôle en exagérant l'étrangeté de sa démarche. Elle passe si près, j'ai droit à un gros plan du duvet de blonde de ses mollets, tout léger. Je ne peux m'empêcher d'être jalouse, moi qui me bats avec les rasoirs sans arriver à me tailler une vraie belle jambe. Elle est si blonde, Roumy, une Boucle d'Or. J'en perds mes mots.

Ça sonne à la porte. C'est l'arrivée des folles pouliches! Les mardis et les jeudis, après leur volley-ball, les copines rappliquent aussi à l'appartement de l'oncle. On se retrouve avec la belle Mélie, Honorée, toujours un livre sous le bras, Coraline, Rocca et sa tignasse de lion crépu. On papote, on fouine, on égratigne de vieux disques 33 tours, on copie nos façons de parler, on s'échange des réponses d'examen, on se fait les ongles, c'est le paradis.

Honorée, toujours un peu en retrait, sort fumer sur le balcon, un bouquin de Jean-Paul Sartre à la main. Elle parle peu depuis que ses parents sont divorcés. Et lit de plus en plus. Je l'aime bien, j'aime qu'elle soit là, même sans dire un mot.

Honorée a d'interminables cheveux noirs qu'elle n'a jamais, jamais fait couper. Ils lui arrivent au ras des fesses. Roumy la rejoint pour partager sa cigarette. Je sais bien qu'elle fait semblant de fumer, ma Roumy, sinon on l'entendrait déjà tousser. Elle se force pour se donner un style de star. Elle aspire, garde la bouffée dans ses bajoues, se tait pour que la fumée ne s'évade pas avec les mots. Je la regarde, touchante avec ce mensonge allumé entre ses lèvres.

La crinière d'Honorée exerce encore son irrésistible attrait : je m'installe derrière elle pour lui faire de fines, très fines nattes. Tresses indiennes ou brésiliennes, longues lianes de cheveux sur ses épaules, tresses de Rapunzel ou de princesse prise dans sa tour. Elle n'arrête pas de lire. Elle est habituée, il y a toujours une des oiselles pour lui jouer dans les cheveux, jalouse de leur longueur, de leur épaisseur, de leur douceur. Le petit vent de mai m'aide à la coiffer. Je crois qu'on pourrait rester des jours entiers comme ça, balcon fumée cheveux, arbre soleil ciel.

Un pépiement nous parvient de l'appartement : Mélie, Coraline et Rocca jacassent tant, on les entend d'ici, pires que des poules. Leurs voix nous attirent et nous entrons les rejoindre. Entassées devant le trop petit miroir de la salle de bain, elles se poussent du coude pour essayer de nouveaux crayons de maquillage. Khôl, eye-liner, mascara. On se faufile dans le tas à coups de coude, quand il y a de la place pour trois il y en a pour six. Coraline me tend un khôl bleu. Qui ne me va, finalement, vraiment pas. On s'en fout, tant qu'on rit.

Coraline, avec des airs mystérieux, sort deux rouges à lèvres de sa poche de jeans. « Pas encore ? » Elle les vole à la pharmacie. Presque chaque semaine, elle en sort un nouveau de son sac, de ses poches, de ses manches. «Tiens, je te le donne.» Je n'ai pas le courage de refuser et m'empresse d'essayer la couleur. Douce comme du miel, comme un pur parfum sur les lèvres. Mais je n'arrive pas à la remercier, les mots se bloquent dans ma gorge. «Tu vas finir par te faire attraper, Coraline. Ça m'inquiète. Tes parents seraient furieux, s'ils savaient.» Elle ne répond pas, lève le menton, se remet du mascara, le front un peu plissé. Rien à faire avec cette copine tête de pioche. Je me tais et glisse son cadeau dans ma poche.

Reste à nous faire les ongles. Manucure française! On court s'écraser au salon. Sur le sofa, on se coule les unes aux autres. Mélie me met du pêche aux orteils pendant que Coraline colore ceux de Rocca qui nous raconte comment Olivier l'a embrassée, même si elle sort avec David. Honorée ne dit toujours rien, assise par terre un peu plus loin. Pendant que Rocca parle et parle, je farfouille dans mon Petit Bob préféré. Pas grand-chose sous EMBRASSER. BAISER, c'est un peu mieux. Je lis à voix haute:

«BAISER: Action de poser ses lèvres (sur le visage, la main ou une autre partie du corps d'une personne). Bise, bisou, baise, bec, bécot, patin, se bécoter.»

Rocca en remet : « Frencher ! Non, french kisser ! » Elle est déjà sortie avec Jacob, Siméon, Matis et Patrick. Elle parle si vite quand elle nous raconte, elle m'étourdit. Je l'envie : moi, je n'ai jamais frenché personne. Parfois, le soir avant de m'endormir, je m'embrasse le creux du bras. Ou j'embrasse l'oreiller. Juste pour m'exercer. Rocca continue de jacasser sans fin sur William, Akim et Louis. Jamais je n'ai dit aux filles que je ne sais pas embrasser. Même pas à Roumy. Elle m'a tout raconté lorsqu'elle est sortie avec Félix l'an dernier. Moi, je n'ai pas eu de Félix, ni de Siméon ni de Patrick. Personne. Que mon Petit Bob pour me dire ce qu'est un baiser. Le vide, quoi. Bouche sèche. Mais c'est mon secret. 1 + 1 des fois = moi toute seule.

17 h 15, les filles partent en coup de vent, jambes au cou, sac au dos, pour arriver chez elles avant leurs parents. Roumy et moi, on reste derrière, une demi-heure de plus, y a pas de presse. Dans nos familles tout se fait plus tard. Il y a des avantages à avoir des parents workaholic... Nos folles pouliches d'amies parties, c'est étrange soudain, le silence. Le 33 tours s'est arrêté, on n'entend que le bruit de l'aiguille qui saute sur le dernier sillon. Plus de rires, plus de filles qui pouffent. Le chat saute sur mes genoux, presque au ralenti, et atterrit à côté du Petit Bob encore ouvert sur le sofa, Roumy laisse tomber sa tête sur mon épaule et lit à voix haute :

« BAISER : baiser brûlant, voluptueux. Baiser langue en bouche. Patin. Pelle. Premier baiser. Donner, poser, planter un baiser. »

Le chat ronronne. Je prends mon courage à deux mains, je ne veux pas avoir de secret pour Roumy, et sans la regarder je me lance :

« Tu sais, je n'ai jamais embrassé personne. » Ma voix tremble, et c'est parti mesdames et messieurs, le rouge me monte aux joues à vitesse grand V. « Je vais être super nouille le jour de mon premier baiser, stressée comme si je passais un examen. J'ai peur de ne pas être capable d'en profiter. »

— T'inquiète pas, répond Roumy. C'est comme la bicyclette, ça vient tout seul. Tu vas comprendre d'instinct.

— Mais mais mais te rends-tu compte que JE NE SAIS MÊME PAS CE QU'IL FAUT FAIRE AVEC LA LANGUE ????? Et où tu regardes pendant ? Où tu mets tes mains ? Sur le visage ? Et si je ne me suis pas brossé les dents et que j'ai mauvaise haleine ? De quel côté est-ce que je dois pencher mon visage pour ne pas se cogner le nez ?

... et plus je pose des questions, plus je me sens devenir fébrile. J'ai les larmes aux yeux, et je panique vraiment.

Roumy glisse sa main dans mes cheveux et ça me calme et elle approche son visage et pose ses lèvres contre les miennes et c'est si chaud que je respire, sa bouche est douce comme du miel du pur parfum et rouge cerise et le chat ronronne et une langue délicate frôle mes lèvres, les entrouvre et se creuse doucement un chemin et je fonds du dedans et mes yeux se ferment, j'ai l'impression de goûter un léger soleil délicieux...

Roumy éloigne lentement son visage et me dit avec son grand sourire :

— Tu vois ! Ce n'est pas compliqué !

Je crois que je suis au paradis.

Claudia Larochelle

Comment décrocher les cumulus

À Julien

J'ai lu quelque part que la durée d'une peine d'amour équivalait à la moitié du temps passé avec la personne. Ce qui signifie que ma mère a pleuré pendant cinq ans le départ de mon père quand il l'a quittée pour Geneviève. Mon grand-père aurait souffert vingt-cinq ans après la mort de mamie Rose. En suivant cette logique, il me resterait encore un mois de supplice avant de ne plus penser à toi. Personne n'a l'air de croire que dans 40 320 minutes je t'aurai oublié.

Peut-être que si je faisais semblant d'aller un peu mieux, je ne me retrouverais pas assise en indien devant une dame gentille qui acquiesce à tout ce que je dis. Elle veut mon bien. Elle est psychologue. La profession la plus déprimante de la terre. Tu aurais ri de ses lunettes à monture métallique rouge. Je fixe la boîte de mouchoirs, j'aimerais qu'elle serve à quelque chose. Devant elle, je suis sans larmes. Une fille figée. Une fille qui pense. Si ma mère ne lui avait pas expliqué, hier, pour ton départ le mois dernier, je ne serais pas ici, muette, l'air un peu débile. Je n'ai rien à dire.

Moi, j'aime dire ton prénom. Antoine. Antoine. Antoine. Antoine. Antoine Desforges. Je l'écris aussi. Partout. Dans mon agenda scolaire, derrière ta photo, celle qu'on a prise ensemble en pleine canicule de juillet dans un photomaton à la station de métro Berri-UQAM, sur mon miroir de chambre avec du rouge à lèvres, dans les bulles de mon bain moussant. Je l'ai même gravé à la pointe d'un compas sur mon avant-bras, pour t'emprisonner dans ma chair et mon sang. Ainsi, quand tu disparaissais quelques jours pour faire les quatre cents coups avec tes frères, j'avais l'impression de t'emmener partout avec moi : au dépanneur, au cinéma, chez mon amie Charlotte et à la roulotte de ma tante Lucie. Avec cette vilaine plaie sur l'épiderme et la douleur en sourdine, je me sentais moins vide.

Tu n'as jamais su si tu désirais qu'on sorte ensemble officiellement. Charlotte disait que je t'aurais à l'usure, que tu étais sur le point de t'abandonner et qu'enfin on formerait un couple. Je voulais tellement que tu sois mon premier chum sérieux. Celui qui verrait tout de moi. Même mes petits seins pointus soutenus par un soutien-gorge inutile. J'avais prévu qu'on le fasse ensemble pendant les vacances de Noël, que tu me prennes chez moi, en l'absence de ma mère, sur une chanson de Jacques Brel. Tu aimais cet artiste, toi aussi.

Tu n'étais pas comme les autres gars de l'école qui ne savent même pas ce que ça mange en hiver, un Jacques Brel. Je te le répétais parce que tu te sentais niaiseux d'avoir redoublé ta deuxième année et que la gang au grand Dalpé te faisait rager en te traitant d'attardé mental. Ça te mettait en colère. Choqué, c'est là que tu étais le plus beau. Pas un pétard à la Brad Pitt. Tu avais un drôle de nez crochu, des cheveux en bataille trop longs selon ma mère, des muscles à peine visibles que tu te forçais à exhiber quand je te serrais le bras et ton haleine sentait les cigarettes que tu volais à ton beau-père. Brad Pitt non plus n'a jamais dit à Jennifer Aniston qu'il l'aimait. La pauvre fille. Elle ne s'en est jamais remise et fait dépression par-dessus dépression depuis. Je l'ai lu dans le magazine *In Touch*.

Tu vois que je ne lis pas que ces romans incompréhensibles de vieux écrivains morts depuis des lunes. Tu m'avais taquinée au printemps dernier en apercevant la couverture de mon livre du moment et traitée de « nerdz quand même *cool* ». On se voyait pour la première fois. Tu venais de te faire changer d'école *in extremis* pour indiscipline... Ce bouquin emprunté à ma mère avait piqué ta curiosité. Une histoire de Françoise Sagan. *Bonjour tristesse*. J'étais étonnée que tu connaisses. Tu venais de compter ton point décisif. Je n'allais plus te lâcher de l'été.

Toi, tu me prenais déjà comme j'étais, un peu moins belle que d'autres filles, mais plus imaginative, plus intense. Ce jour-là, on avait manqué notre dernier cours. Plusieurs autres après aussi jusqu'à ces vacances enivrantes. Mon premier congé scolaire d'amoureuse. Au retour en classe en septembre, je ne serais plus la même.

Quand on ne se parlait pas durant des heures au téléphone, tu venais chez moi. La maison du confort comme tu te plaisais à le dire. Ton repos du guerrier et la dernière île aux trésors où tu as amarré entre deux engueulades avec ta famille. Tu avais même l'air de te foutre de ma manie de parler sans arrêt. Le dernier soir, je ne t'ai rien dit.

Tu ne sauras pas que je me touchais, me rappelant la manière dont tu effleurais mes fesses lorsque tu faisais la file derrière moi à la cafétéria. Je sentais ton pénis se durcir et, même si j'en étais un peu gênée, j'y prenais goût. On aurait dit qu'une bande de papillons fous se chamaillaient dans mon ventre. Tu ne sauras pas non plus que j'ai eu mes premières règles la semaine dernière, en retard sur la plupart des autres filles, que je ronfle quand je dors, que j'ai réussi mon examen de maths, que j'ai décidé que j'allais devenir journaliste comme ma cousine et que la lasagne de ma mère supplante celles des autres mères de la ville.

Une fois, tu es venu souper à la maison et maman avait commandé des sushis qu'on s'était dépêchés de manger. Nous avions hâte de descendre au sous-sol pour nous emmitoufler dans ma vieille couette. Tu glissais tes longs doigts sous mon chandail et traçais des dessins invisibles sur ma chair frissonnante. J'essayais de deviner les formes que tu esquissais sur ma poitrine, espérant chaque fois qu'il s'agirait d'un cœur ou d'un « je t'aime ». Ça n'arrivait jamais. Puis tu filais, les oreilles écarlates, avec une grosse bosse apparente sous ton jeans. Je ne savais jamais où tu allais après. Tu faisais ton dur, celui que les insultes n'affectent pas. Une fille douce et jolie n'a pas suffi pour chasser les nuages noirs.

Je ne me demande plus où tu vas quand tu pars. Tu es sous la terre, sous mes nouveaux souliers de course qui ne marcheront plus à côté des tiens. Mes Puma qui ne veulent pas avancer parce que tu as choisi de t'immobiliser, de t'ancrer sur un nuage pour l'éternité.

Comme il doit être gros ce cumulus pour supporter ton grand corps plein de peine. Si seulement il pouvait tomber du ciel, t'entraîner avec lui dans sa chute. Je pourrais te revoir. Je pense que je te traiterais de gros épais comme Dalpé le faisait. Puis, je t'implorerais de tracer d'autres dessins sous mon chandail pour sentir encore tes mains humides aller un peu plus loin cette fois. Je fumerais une cigarette pour copier tes gestes. Même si ça me donne le goût de vomir. De toute façon, depuis que tu es parti, j'ai toujours le goût de vomir, d'expulser de mes entrailles tout ce que tu ne m'as jamais exprimé. Je veux devenir aussi petite que les gouttes de rosée qui se frayent un chemin entre les lettres de ton prénom gravé sur la pierre. Quand j'étais enfant, je croyais que la rosée tombait du ciel quand un ange pleurait. Je ne sais pas si c'est toi ou moi, l'ange.

C'est la travailleuse sociale de l'école qui est venue nous apprendre la nouvelle. La première journée de notre quatrième secondaire. Madame Dubois. Tu l'aimais. Elle s'occupait de ta réinsertion scolaire. La veille, au téléphone, tu m'avais déclaré qu'à trente ans je lui ressemblerais, que moi aussi j'aurais de beaux tailleurs griffés, une démarche de ballerine et de longs cheveux noirs. Tu aimais tellement son parfum que j'avais commencé à économiser pour m'en acheter un flacon. Peut-être que j'ai mis trop de temps à amasser ces sous. Si tu avais humé ce parfum vanillé dans mon cou, serais-tu resté? Aurait-il pu te servir de potion magique? Ma façon de t'ensorceler en passant à côté de toi dans les corridors, de te rendre accro à autre chose qu'au tabac et à la bière.

Depuis ma première visite, il y a deux semaines, je connais par cœur tes voisins de lopin. Je m'amuse à imaginer leur fin. Face à ton cadavre, sous une pierre tombale aguicheuse parée d'une couronne de roses blanches, il y a elle. Tatiana Del Pierro. Une Italienne enterrée en mai, quatre mois avant toi. Sur sa photo encastrée dans le marbre, elle affiche un de ses derniers sourires, à la fois réservé et plein d'assurance. Elle a dû t'accueillir avec ces grands yeux coquins que je fixe à chacun de nos rendez-vous. Deux billes ébène qui semblent épier chacun de mes mouvements vers ton corps inerte.

La première fois que je l'ai aperçue, je me suis fait la réflexion qu'un pétard pareil ne pouvait pas mourir comme les filles ordinaires. Comme Marilyn Monroe ou Dalida, elle aura choisi de prendre des cachets. C'est plus romantique. Avoue qu'elle te fait de l'effet cette Tatiana, du haut de ses vingt-quatre ans, et que tu la consoles le soir, réchauffant son cumulus pour qu'elle n'ait pas froid. Je suis jalouse d'une morte.

Antoine, je suis désolée d'être mesquine avec ta nouvelle amie. Je suis en furie parce que cette Tatiana t'a pour l'éternité. Moi, je ne t'ai même pas eu pour une nuit. Quand ce sera à mon tour d'habiter un nuage, je serai si vieille et plissée que tu ne me reconnaîtras plus. Tu n'auras plus envie de dessiner des paysages sous mon chandail. Pour me faire pardonner, demain, quand je reviendrai m'étendre près de toi, je collerai les écouteurs de mon iPod contre le monument de Tatiana. Peut-être que comme toi elle aime Brel, peut-être qu'écouter ses ballades l'aidera à s'endormir.

Ta copine devra s'habituer à ma présence. J'ai demandé la permission à ma mère d'apporter un sac de couchage au cimetière pour pouvoir passer le plus de nuits possible avec toi. Au moins jusqu'à la première neige. Elle ne veut rien entendre, m'expose les dangers, me raconte même des histoires de fantômes qui hanteraient ces lieux. Tout le monde sait que je suis attirée par eux. Je suis en amour avec un de ceux-là.

Tous les jours, quand je suis seule, je me concentre aussi fort que pendant un examen de mathématiques pour te faire revenir, pour que tu quittes ton nuage. Juste deux minutes. Juste assez pour revoir ton visage.

Je commence à oublier tes traits fins et asymétriques. Ton image physique quitte ma mémoire. Je conserve ta photo dans ma poche de pantalon en permanence, mais j'ai beau la regarder, ce garçon figé dans le temps ne te ressemble pas. Il me semble que tu clignais souvent des yeux, que tes longs cils parlaient un langage de sourds que seule moi je savais décoder.

J'étais la seule à comprendre tes signes de mortel. Sauf la dernière fois. La dernière fois qu'on s'est vus, noyée dans nos salives entremêlées, je m'étais enivrée. Trop gaga pour ne pas saisir au vol ton dernier message. Tes cils palpitants s'étaient aventurés dans mon cou, longs messagers de douleur, comme des perches que je n'ai pas su agripper. J'étais soûle, Antoine. Soûle de ta peau, de tes mains, de tes pieds, de tes oreilles, de tes lobes d'oreille, de ton nez laid.

Étendus sur le sofa du sous-sol chez moi, le sofa des frotti-frotta, comme tu l'avais surnommé, j'ai espéré en vain des mots tout l'été. Des mots doux que tu n'as jamais prononcés. J'attendais que tu me dises « je t'aime » pour faire l'amour. Je sais bien que je courais un risque. La logique des gars m'apparaît de plus en plus étrange. L'ex de Charlotte avait, lui, exprimé ces paroles d'amour tant attendues pour qu'elle accepte enfin de se donner à lui. Le lendemain, le con lui envoyait un courriel de rupture, prétextant un manque de temps chronique. Ma mère m'a expliqué qu'en vieillissant les hommes continuent parfois ce manège, qu'ils se défilent après la première nuit. Mais toi, tu n'étais pas « les gars ». Dans tes entrailles coulait la sève d'un militant rebelle, d'un chevalier médiéval, d'un meilleur ami, d'un grand frère, d'un papa à venir et d'un guerrier mort au combat, étouffé sous le poids de ses propres armures trop lourdes à supporter.

Tu aurais fait un bon papa. En voulais-tu, des enfants ? J'aurais accouché cent fois des nôtres. Même s'il paraît que c'est la pire des souffrances. L'autre nuit, j'ai rêvé que je donnais naissance à un bébé qui avait ton visage. Un bébé qui pleurait. Impuissante, je ne pouvais pas l'arrêter. Il avait faim, soif, froid, chaud, des coliques et des cauchemars. Tu as souffert de tous ces maux pendant dix-sept ans sans que personne réussisse à t'apaiser. Même pas moi. Pourtant, je crois que quand des sillons de plaisir se creusaient au coin de tes yeux dans l'extase de nos câlins, tu ne voulais pas mourir. Tu vivais. Tu jouissais, tu vivais, tu criais, tu vivais, tu te battais, tu vivais, tu injuriais le monde entier, mais tu vivais encore.

Agenouillée sur la terre qui te garde au chaud, je prie pour que les mouches et coléoptères ne te dévorent pas trop vite. J'ai insisté pour que le père de Charlotte, qui est médecin, m'explique ce qu'il advient de ton corps. Cherchant ses mots et sur un ton mal assuré, il m'a révélé que ta flore intestinale, sans nourriture, se mettrait bientôt à dévorer ta cavité abdominale pendant que les larves de mouche s'infiltreraient à l'intérieur de ta bouche et de tes narines. Ensuite, ta cavité abdominale se déchirera sous l'effet de la pression des gaz produits par ta flore intestinale. Les décomposeurs pourront alors s'attaquer plus largement au corps, et dévorer tes muscles et ta graisse.

Au bout de quelques mois, il ne restera plus que tes os et des lambeaux de ta peau, qui demeureront pendant plusieurs années. Ton squelette, lui, survivra pendant des siècles. Ça me rassure un peu. J'envie les insectes. J'envie le satin qui t'accueille dans ce cercueil envahi par des bataillons de bestioles affamées, la croix que tu portes au cou, contre la veine qui ne sautille plus. J'envie le ciel de te posséder, le cumulus qui t'enveloppe, ton poste d'observation.

De là-haut tu m'observes partout, toujours, sous tous les angles. C'est ce qui me gêne le plus. Tu sais tout de moi, maintenant. Tu sais que j'ai copié durant mon examen d'histoire pour obtenir la note de passage. Ton omniscience me rendra moche à tes yeux. Tu vois ce que j'ai toujours pris soin de te cacher pour briller.

Si dans dix ans je retombe amoureuse, m'en voudras-tu? Dix ans. Ça te laisse le temps de revenir me chercher, caché sous un drap blanc avec deux trous à la place des yeux. J'aurai alors vingt-six ans, une longue tignasse noire, un ou deux cheveux blancs. J'ignore s'il s'appellera Simon, Marc-Olivier, Frédéric ou Guillaume. J'ignore s'il dessinera des cœurs invisibles sous mon chandail. Je ne serai sûrement plus vierge depuis un bon moment. J'aurai fait l'amour les yeux fermés pour ne pas voir ce visage qui n'est pas le tien. Quand des râlements de plaisir viendront chatouiller mon ouïe, j'imaginerai que ta voix me berce dans cette extase que je n'aurai peut-être pas. Ta voix. Je ne m'en souviens déjà plus. On oublie vite celle des morts. Comme si le disque dur de la mémoire auditive demeurait plein *ad vitam æternam*.

Après ton départ, ta mère a rempli une dizaine de sacs-poubelles qu'elle a laissés aux éboueurs devant chez vous. Des sacs remplis de toi, des objets si importants, entre tes mains pendant dix-sept ans et réduits à néant en dix minutes dans l'infâme puanteur d'un camion à déchets. Combien de restes de défunts les éboueurs ont-ils ramassés cette journée-là? Il ne demeure plus rien de ta présence physique que cette pression au fond de ma gorge. Qu'un mal de cœur *ad nauseam*. Une boule restée coincée dans mon tube digestif. Preuve que rien n'est digéré.

J'ai ce sentiment d'être observée par trois cents paires d'yeux apeurés de me voir défaillir. La belle travailleuse sociale, les profs, ma mère, la tienne, les élèves, Charlotte, son médecin de père et cette psy aux étranges lunettes. Tout le monde me surveille. Ils font penser à des sauveteurs de plage, prêts à sauter de leur chaise haute quand la prochaine vague m'entraînera au fond de l'eau.

Je saurai éviter la vague. J'ai choisi de vivre à la façon

du Petit Poucet, de laisser des miettes de pain derrière moi pour que tu puisses toujours me retrouver à travers les sentiers du monde des vivants. Tu sauras quand j'irai à gauche ou à droite, si je décide de marcher droit devant ou de tergiverser pour revenir sur mes pas. J'aurais pu aller tout de suite te rejoindre. J'y ai pensé.

J'ai pensé me jeter devant le métro à l'heure de pointe. Je me suis imaginé que tu m'accueillerais au bout du long couloir de la mort, avec une gerbe de fleurs et une envie soudaine de me dire les mots attendus. On aurait repris notre histoire pour la faire durer aussi longtemps que dans les contes des *Mille et une nuits*.

Si je saute, je le ferai en parachute. Mon bail prend fin plus tard. Il faut me laisser le temps d'essayer de comprendre comment tu en es venu à souffrir de la sorte, comment je suis devenue à seize ans une veuve vierge alors que l'automne nous promettait des soirées à refaire le monde autour du feu. Si on avait fait l'amour avant ton départ et que j'étais tombée enceinte, serais-tu resté?

Avec une partie de toi nichée dans ma chair, j'aurais gardé un souvenir impérissable. Ton ombre, haute comme trois pommes, piaillant et ricanant, ta vie plus fraîche et joyeuse, vierge de douleurs de grand gaillard poqué. J'aurais tenu notre enfant à l'abri des stations de métro.

Si un jour j'ai un garçon, je l'appellerai Antoine. Je lui montrerai que les cumulus ressemblent à des mirages, qu'on rêve dans un désert de souffrances de les atteindre, mais qu'ils n'existent que dans notre imagination. Une fois en haut, il n'y a peut-être plus rien, et le ciel, la lune et les nuages, et même l'amour, font partie des privilèges de ceux qui ont choisi de vivre.

Pour Nadgee et ses amours futures

La fille aux bas collants avec des étoiles qui marche sur les toits s'appelle Mirabeau. Tous les matins, elle sort par la terrasse du troisième étage, fait le tour des lucarnes, des antennes paraboliques et descend par l'escalier de secours que Raymond, un voisin du quartier, laisse toujours baissé. L'école est de l'autre côté de la rue.

Elle aime prendre des détours comme ce chemin dans les nuages. Sur les toits de bitume et de granit, Mirabeau est traversée d'idées si légères qu'elle ne sent plus la force de la gravité peser sur ses épaules. Elle se lève tôt, sa petite sœur, sa mère et son père dorment encore, elle s'assoit sur la saillie d'une lucarne et s'imprègne des reflets roux et mauves du soleil qui se multiplient sur les surfaces planes. Les yeux braqués à l'horizon, elle reprend du début.

C'est un samedi matin. Mirabeau lit un roman d'espionnage qu'elle referme rapidement lorsque tinte la clochette de la porte vitrée.

Les cheveux foncés, un peu ébouriffés, il porte un jeans et une veste de laine noire. Est-ce son nez d'aigle ou son front haut, elle lui trouve un air de conquistador espagnol. Quand Mirabeau voit entrer son professeur d'histoire, ses pommettes deviennent rouge cerise. Il ne l'a pas reconnue. Puis leurs regards se croisent : il paraît encore plus surpris qu'elle.

Cela fait deux semaines qu'il remplace monsieur Lessard, tombé malade au début d'octobre. Il est jeune ; elle ne croit pas avoir déjà eu de professeur aussi jeune. Malgré les reflets gris argent de sa barbe, elle ne lui donne pas plus de trente ans.

C'est leur premier vrai regard. Dire qu'il la déstabilise équivaut à ne rien dire du tout. Ses yeux lui paraissent beaucoup plus noirs et grands parce qu'il n'a pas ses lunettes. Mirabeau est très contente de porter les siennes. Elles apportent juste assez de distance à cette proximité soudaine.

Elle ne mesure pas tout de suite l'effet de sa queue de cheval et de son tablier blanc trop grand et poussiéreux. Éric lui raconte son déménagement de Québec vers Montréal. Ses joues chauffent tandis qu'elle dépose les amandines et les boules au rhum dans la boîte et qu'elle attache le tout avec une corde. Elle y met un peu trop de temps, d'autres clients entrent et Patricia, à la caisse, s'impatiente.

Sur le toit plat qui surplombe la ruelle, Mirabeau scrute l'horizon. Qu'y a-t-il aux limites de la ville ? Quelles sont ces lumières qui brillent au-delà des usines désaffectées du canal Lachine, au-delà de l'élévateur à grain du Vieux-Port ?

Dans trois minutes, elle passera prendre Valérie à son casier et, à huit heures vingt précisément, elles franchiront ensemble la porte du cours d'histoire.

Premier cours. C'est une impression bizarre. Mélange d'animosité et d'attirance. Il a une drôle de voix, de drôles de cheveux. Il gesticule trop.

Après avoir présenté la matière à couvrir, il se met à parler d'un livre qu'il a aimé. Il lit la quatrième de couverture. Et ce qu'il lit, au moment où Mirabeau s'attarde sur son corps massif qui dégage une grâce secrète, ce mot,

Fontainebleau, un nom de château, aussi étranger pour elle qu'une avenue néerlandaise, aussi mystérieux que les coutumes d'un autre siècle, devient le lieu où l'égareront dorénavant ses rêveries.

Elle prononce les trois syllabes dans sa tête, sensible à la finale en « o », comme son prénom.

À partir de ce moment-là, en le regardant tenir un livre, les coudes ramenés sur son ventre, le visage un peu penché, elle se met à imaginer des scénarios. L'état de rêverie prend le dessus sur ses efforts de concentration.

C'est bientôt la fin du cours et, déjà, les étudiants rangent leurs feuilles et leurs stylos. Mirabeau reste figée, en proie à une sorte de choc intuitif, fébrile. Valérie lui rappelle que la journée ne fait que commencer : il y a encore le cours d'anglais, le cours de sciences et technologies et le cours de maths. Elle parle avec un air découragé qui a le mérite de ramener Mirabeau à la réalité.

La semaine avance lentement ; Mirabeau attend avec impatience le mardi suivant. Elle enfile ses collants avec des étoiles et son col roulé bleu, elle traverse les toits à toute vitesse, rejoint Valérie à son casier ; comme les fois précédentes, elles arrivent les premières devant le local B-312.

Ils en sont au dix-huitième siècle, à la période pré-révolutionnaire, le moment où des hommes illustres dénoncent les abus de la cour, les dépenses faramineuses en tissus de toutes les couleurs et les petits fours secs de la reine Marie-Antoinette. Pendant plus d'une heure elle s'abreuve aux mots d'Éric, impressionnée par la richesse de son vocabulaire. Il dit des mots qu'elle n'a jamais entendus comme *absolutisme* ou *doléances* et, à plusieurs reprises, Valérie surprend Mirabeau à sourire.

Pour les deux complices, les meilleurs cours sont ceux où les étudiants interviennent, y vont de leurs arguments, de leurs questions, de leurs réponses plus ou moins hési-tantes, plus ou moins audacieuses. Quand le professeur calme le jeu parce que la classe est en ébullition et qu'il doit ramener à l'ordre les plus timides, c'est qu'il a réussi à élever l'enseignement au rang d'art.

Au milieu du mois de novembre, le zélé de la classe, Yannick, cheveux bruns et drus, les yeux en amande, lève la main et demande qui a écrit la Déclaration des droits de l'homme. De nature extravertie comme son père — un biologiste souvent interviewé à la télé —, il s'intéresse à tout et n'a pas la langue dans sa poche. Alors Éric prend un air amusé en regardant près de la fenêtre, là où est assise Mirabeau. Il nomme quelques figures historiques, puis il prononce son prénom d'une drôle de façon et tout le monde finit par comprendre qu'un certain Mirabeau à la perruque blanche et au nez poudré a laissé sa trace sur cette planète quelques siècles auparavant.

Éric ouvre une parenthèse à propos de cet homme, orateur brillant mais très laid, qui a été enfermé plusieurs fois au cours de sa vie. Et de digression en digression, Éric en arrive aux lettres d'amour qu'il aurait rédigées en prison pour une dénommée Sophie. Pendant tout ce temps, Mirabeau a la nette impression qu'il ne parle qu'à elle, convaincue qu'elle est la seule à saisir avec autant d'acuité le destin particulier de son homonyme.

Les semaines défilent, c'est la fin de l'automne et puis l'hiver. Comme la neige abondante rend difficile l'accès aux toits, Mirabeau doit trouver d'autres endroits où se promener, où attendre le mois de mars et le dégel : deux choses qui tardent cette année-là...

Debout sur la terrasse, un foulard entortillé autour du cou, Mirabeau fait le décompte : plus que quatre jours avant la sortie prévue au Musée Pointe-à-Callière, dans le Vieux-Montréal. Elle s'imagine dans les catacombes aux côtés d'Éric, croisant les fantômes de Jeanne Mance et de Maisonneuve.

Il lui demanderait de tenir son cartable. Quelque chose dans sa mimique le ferait rire. Dans l'escalier qui mène au belvédère, Éric lui parlerait à voix basse, elle n'entendrait rien à cause de ses camarades turbulents. Il la frôlerait de son bras. À un certain moment, elle lui dirait : elle ne sait pas ce qu'elle lui dirait. Mais il paraîtrait s'étouffer. Puis il répondrait oui.

À l'instant le plus grisant de sa rêverie, une jeep s'engage dans la ruelle et interrompt une partie de hockey cosom. Mirabeau regarde les lumières de la ville. Elle cherche un point fixe qui contiendrait tout l'horizon.

Vendredi soir à la pâtisserie. Personne n'a franchi le seuil depuis une bonne heure quand débarquent en trombe Valérie, Julien, Mathieu et Yannick. Ils arrivent de la pizzeria New York où ils ont passé une partie de la soirée. Après un détour au parc, ils ont décidé qu'une petite dose de sucre leur ferait le plus grand bien avant de regagner leur terrier : le sous-sol de Yannick.

Ils se mettent d'accord pour quatre gros brownies et, pendant que Patricia a le dos tourné, Mirabeau ajoute une paille au fromage dans chacun des sacs. Les quatre camarades insistent pour qu'elle aille les rejoindre après la fermeture.

Elle ne sait pas. Elle hésite. Elle a le goût d'aller flâner sur les toits.

Il s'attendrait au corps androgyne d'une adolescente, il trouverait le corps d'une femme, les hanches rondes, les seins pointus et fermes. Il serait directif, elle n'aurait qu'à suivre sa voix. Instinctivement, elle sait que les meilleures choses, il les lui ferait découvrir pour peu qu'elle s'abandonne. Elle était mûre pour ça.

Elle était prête à l'entendre dire : « Tu sens le foin coupé, la terre chaude. »

Elle pourrait s'abandonner, guidée par ses mains, se laisser couler, car il y aurait sa bouche pour la rattraper.

Ils seraient seuls, sans vassaux, sans serviteurs dans l'immensité du château de Fontainebleau.

En fin de soirée, Valérie, Yannick, Julien, Mathieu et Mirabeau sont assis en cercle sur le tapis du sous-sol et jouent à la bouteille. *Arcade Fire* enterre leurs rires ; l'étage au-dessus semble inanimé.

Mirabeau boit un peu trop de bière. À dix heures, elle titube jusqu'au sofa. Elle ne voit plus très clair, mais elle distingue nettement la main de Mathieu qui se pose sur les genoux de Valérie.

Soupir : Mirabeau trouve les gars de son âge trop jeunes. Ils manquent d'assurance, ils sont mous, boutonneux et ne connaissent rien à l'amour. Le seul rapport viable entre elle et eux se définit en termes de camaraderie : jouer au soccer, échanger des livres et quelques blagues idiotes, mais difficile d'imaginer que l'un d'eux provoque en elle le moindre frisson.

Mathieu et Valérie échangent un long *french kiss* qui mélange tout : langues, bras et jambes — on dirait deux poulpes amalgamés dans une baignoire trop petite —

175

quand on cogne à la porte de l'escalier. C'est la mère de Yannick qui apporte une tarte aux prunes.

Le reste de la soirée se partage entre la tarte aux prunes et une discussion animée à propos du manoir des parents de Yannick et de leur immense verger de prunes dans la région de Kamouraska. La mère de Yannick s'assoit avec eux. Elle a la peau mate des femmes du midi, comme si elle passait tous les après-midi au soleil à travailler dans ses arbres fruitiers. Mirabeau ne se lasse pas de regarder ce visage amène, si bien qu'elle est dans la lune lorsque Jasmine les invite tous au manoir pour l'anniversaire de Yannick en juin et qu'on entend quatre *oui* enthousiastes.

Les Véritables motifs
De Messieurs et dames
De la Société
De Nostredame de Montréal
Pour la Conversion des Sauvages
De la nouvelle France.

M.DC.XXXXIII

Les voilà tous regroupés devant la reproduction d'un livre ancien, dans le sous-sol du musée, sept mètres au-dessous de la rue. Mirabeau est à côté de Valérie, elle a le sac à dos de Julien dans le visage et tente tant bien que mal de lire les inscriptions, quand un étudiant d'un autre groupe, probablement de Toronto, demande à son professeur :

— M.DC.XXXXIII. *Who's that guy?*

Mirabeau jette un œil du côté d'Éric qui se retient pour ne pas rire. Quelques étudiants rient, puis la plupart, pour faire comme tout le monde.

Ils sont là depuis une vingtaine de minutes, ils ont vu plusieurs objets retrouvés par les archéologues, une tête de harpon, une perle hollandaise, des couteaux, des tuyaux de pipe, l'ancêtre de la brosse à dents, des fragments de vases en terre cuite grossière mais, déjà, les plus impatients veulent savoir où sont les os, les squelettes. C'est surtout ça qui les intéresse. En classe, Éric leur a dit qu'ils verraient le premier cimetière de Montréal, et des vestiges de tombeaux de Français et d'autochtones tombés sous le tir des Iroquois.

Devant les emplacements vides creusés dans la terre, sans sépulture et sans os, plusieurs expriment leur déception. Mirabeau, elle, reste longtemps face aux ombres de colons projetées sur un mur de pierre. La mise en scène donne l'impression de participer à un convoi funèbre du dix-septième siècle. Mais le moment le plus captivant de la visite se déroule dans l'ancienne canalisation de la rivière Saint-Pierre aujourd'hui disparue. Ce lieu de pêche pour les autochtones a plus tard été souillé par les Français qui y déversaient leurs pots de chambre et y jetaient leurs déchets de toutes sortes.

Pendant que le guide raconte les odeurs et l'épidémie de choléra qui a suivi, Éric vient s'asseoir à côté de Mirabeau dans l'escalier. Il la regarde et un bref sourire illumine son visage. Pendant une fraction de seconde, son corps est tourné vers elle. C'est alors qu'elle capte son odeur à lui. À cet instant précis, le choléra se transforme en une maladie très spéciale, une maladie recherchée, une maladie que Mirabeau ne connaît pas encore.

La visite s'achève trop rapidement. Vers la fin de l'après-midi, le groupe se retrouve dehors, sur la Place Royale, à commenter la forme bizarroïde du musée avec sa base triangulaire et sa tour coiffée d'une structure métallique. Chacun y va de sa remarque, mais c'est Yannick qui avance la formule la plus convaincante: il lui trouve un air d'oiseau précolombien.

Ce soir-là, plusieurs images trottent dans la tête de Mirabeau quand elle se couche. Elle rêve qu'elle magasine dans une boutique d'objets étranges. Devant elle, plusieurs étagères de sacs à main excentriques et rétro. Elle en choisit un en taffetas rouge avec des brillants noirs. En sortant de la boutique, Valérie déclare qu'elle n'aime pas ce sac.

C'est toujours pareil, la fin d'une année scolaire : les semaines se bousculent, on est déjà en juin et on n'a pas eu le temps de bien profiter des lilas en fleurs.

Par contre, sur les toits du quartier, Mirabeau a noté quelques changements. Raymond s'est lancé dans la construction d'un toit vert. Il croit dur comme fer que l'intérieur de la maison demeurera frais. Il a mis en terre plusieurs semis de rhododendrons et d'iris, des plants de ciboulette et de menthe et quelques arbrisseaux ont été disposés aux quatre coins du toit. Avec un clin d'œil appuyé, il a précisé qu'il avait laissé une petite allée pour les promeneuses solitaires.

Et comme il fait plus chaud, on peut s'attarder sur les toits le soir. En ville, on ne voit pas beaucoup d'étoiles.

Mais la croix du mont Royal est visible beau temps mauvais temps. Tel un aimant pour les yeux.

Dernier mardi avant le long congé, il ne reste que deux personnes dans la salle de classe, lorsque Mirabeau remet la copie de son examen.

— Tu es bien lente aujourd'hui, lui lance Éric avec un clin d'œil.

— C'est qu'il fait chaud dans la classe, balbutie-t-elle, embarrassée.

Éric la questionne sur son été. Va-t-elle travailler à la pâtisserie, ou voyager? Lui, il a des articles à écrire pour une revue et il compte faire le tour de la Gaspésie en vélo.

Avant de partir, Mirabeau sort de son sac une enveloppe jaune matelassée qu'elle lui remet. Intrigué, il l'ouvre devant elle.

C'est une photo de la coque d'un vieux bateau. Sur le bois travaillé par l'eau, on peut lire:

Oh que ma quille éclate, oh que j'aille à la mer!

— J'ai pris cette photo l'été dernier à l'Île-aux-Grues où je suis allée avec ma grand-mère. J'ai pensé te la donner.

— C'est très beau.

Éric a l'air ému. Il observe l'image quelques secondes avant d'ajouter:

— Rimbaud est mon poète préféré.

Hier soir, après la dernière journée d'école, Mirabeau a ouvert son petit sanctuaire à ses amis. Ils étaient tous là, assis sur la terrasse à contempler l'immensité de la ville. Un peu à l'écart, Mathieu et Valérie s'embrassaient sans interruption. Le cri strident d'une sirène de pompiers a retenti sans percer l'enveloppe de silence autour d'eux. Julien parti, Mirabeau est restée seule avec Yannick.

Adossé à une lucarne, Yannick buvait lentement sa bière au goulot tandis que Mirabeau mordillait une mèche de ses cheveux. Dans cette oasis de tranquillité suspendue dans les airs, l'agitation urbaine paraissait un peu irréelle. Quelques minutes se sont écoulées sans qu'une parole soit prononcée. Puis Yannick a évoqué leur escapade prochaine dans la région de Kamouraska. Il lui décrivait la maison en bois de grange, le toit en pente et le verger.

— Imagine, dans moins d'une semaine nous serons là, couchés dans l'herbe à regarder les branches des pruniers se détacher du ciel.

Plus il décrivait le verger, plus Mirabeau avait hâte d'y aller. Elle apprendrait tout sur la Damas pourpre, la Damas jaune, la Lombard, les variétés de prunes que sa famille cultivait.

Mirabeau regardait Yannick parler des prunes : il lui paraissait tout d'un coup plus vieux. Il connaissait tant de choses !

Après un moment de silence, il s'est approché d'elle :

— Je t'emmènerais bien tout de suite, jolie Mirabelle.

La brise fraîche qui glissait sur leurs lèvres entrouvertes a cessé soudainement, puis Mirabeau a goûté la douceur de ses lèvres à lui. Un long frisson est monté du bas de son ventre à sa bouche. C'était bien la première fois qu'elle ressentait le vertige sur un toit.

Sophie Lepage

Pas de romance pour Valentine

Catastrophe, je suis amoureuse. Cette calamité qui fait chanter les poètes depuis la nuit des temps s'est imposée à mon insu. Vous connaissez les symptômes : papillons qui voltigent dans l'estomac, joues qui rougissent à la vue de l'être adoré, bégaiements déshonorants lorsque vous lui parlez... Tout ceci, pour quoi? Pour rien, je n'en doute pas un brin.

Depuis plus d'une heure, j'admire sa photo sur Facebook. Comme hier et comme demain, je retourne sur sa page. Pourtant, il n'y a rien à se mettre sous la dent. Alexandre n'affiche pas ses états d'âme, ce qui serait pourtant la moindre des choses... Il y dépose parfois des clichés de ski acrobatique, sa passion. J'adore regarder son visage librement (en personne, je conserve une petite gêne). Jamais je n'écris sur son mur, car ce que je souhaiterais lui dire est beaucoup trop intime pour être connu par tous, surtout pas par lui, ni par mes innombrables rivales. Car dans la course « qui gagnera le cœur d'Alexandre », j'arrive loin derrière le peloton de tête. En vérité, je suis complètement hors jeu, mais je m'entraîne en vue d'un retrait improbable de toutes les sprinteuses.

Je l'avoue, je suis lamentablement éprise d'Alexandre et j'ai beau me répéter les sages paroles de Benvolio, le cousin de Roméo dans la pièce de Shakespeare, rien n'y fait :

« *Benvolio*
— *Suis mon conseil : cesse de penser à elle.*
Roméo
— *Oh ! Apprends-moi comment je puis cesser de penser.*
Benvolio
— *En rendant la liberté à tes yeux : examine d'autres beautés.* »

Je suis aussi impuissante que Roméo face à son aveuglement amoureux, et si un prince s'amenait sur un cheval pommelé, je ne le remarquerais pas. Aucun n'a le regard noisette d'Alexandre, ni ses fossettes craquantes, ni ses larges épaules… J'arrête ici la liste de ses charmes, je pourrais la dresser à l'infini. Car je l'aime ! Damnation.

À force de voir scintiller son profil Facebook, l'envie me prend de lui écrire. Que lui raconter ? Ah ! si j'étais quelqu'un d'autre ! Mais pourquoi pas ? Devenons… une sublime Asiatique, grâce à un profil 100 % fictif. Ma nouvelle identité prend vie sous le nom de Yuki Wasabi. Dans les champs d'intérêt, j'énumère pile-poil tout ce qui intéresse Alexandre : ski, aïkido, photographie. Futée. Sous la rubrique « Au sujet de moi », je me contente d'un laconique « Mystère... ». Je tape « japonaise » dans Google Image et j'y découvre une superbe aquarelle de geisha. Ce sera ma photo. J'ai maintenant tout ce qu'il me faut pour demander à Alexandre de faire partie de son réseau d'« amis ». Il m'accepte tout de suite dans sa tribu. Excellent ! Je commence à m'amuser...

Je compose un premier message personnalisé.

Monsieur D'amour,
Votre errance sentimentale tire à sa fin.
Même si plusieurs jeunes filles en fleurs ont parié
qu'elles vous accompagneraient l'an prochain à votre
bal de fin d'année, une seule mérite votre attention.
Je n'en dis pas plus.

Je signe Détective Y. W. en gloussant et j'envoie ma missive.

Mon père entre sans frapper. Grrrrr.

— Tu viens manger, Valentine ?

Oui, vous avez bien lu. Je me prénomme Valentine. Mes parents ont été hautement inspirés lorsqu'ils m'ont vue apparaître un 14 février, n'est-ce pas? Dire que si l'accouchement n'avait pas été provoqué, je n'aurais jamais entendu l'insipide refrain : « Elle avait de tout petits petons. Valentiiiine. Valentiiiiine. »

N'empêche, il est ironique de porter un tel prénom lorsque la nature ne vous a pas gratifiée des atouts permettant de vivre une vie amoureuse normale. Jugez par vous-même du portrait : tignasse indocile, joues sans l'ombre d'une pommette, menton fuyant, cuisses dodues, jambes osseuses. Quelle tristesse! Seuls mon nez et mes seins trouvent grâce à mes yeux. Ils sont placés au bon endroit, sans former de protubérance distrayante pour la galerie — mais rien pour l'extasier non plus. Vous compatissez? Merci bien.

Heureusement, le forfait Valentine inclut une généreuse portion d'optimisme. Et dans des élans de foi en l'avenir, je me convaincs qu'un jour quelqu'un m'aimera, moi, comme je suis. Sans doute pas mon Alexandre D'amour (avec deux noms pareils, on ne peut sérieusement pas finir ensemble), mais quelqu'un de bien. Quand, diantre, quand?

En mangeant, je pense à mon identité virtuelle et je rigole. J'aime bien ce personnage d'espionne du cœur que je viens de créer. Ma petite sœur imite mes mimiques comme chaque fois que j'ai la tête dans les nuages. Papa ne remarque pas mes rictus ; il suit les nouvelles avec un agacement palpable. Normal : c'est le douzième bulletin qu'il écoute aujourd'hui, alors à la longue, ça le fatigue.

Dès la dernière bouchée avalée, je remonte dans ma chambre. J'ai un devoir à remettre demain et je n'ai encore rien fait. La faute à Alexandre. Si je ne rêvais pas toujours à lui, j'aurais le temps de travailler ! J'allume mon écran d'ordinateur et ma nouvelle page Facebook apparaît. Tiens, j'ai reçu une lettre. Non ! Oui. J'hallucine. Tremblante, je clique sur le message.

Miss Wasabi,
Ayez un peu de considération pour mon misérable
cœur solitaire et dévoilez-moi ce que vous savez.
Votre samouraï.

Oh, je crois que j'aime ce jeu... Personne ne m'a encore jamais draguée. Désolant, non ? Mais ce soir, je me permets d'imaginer quelque chose d'extraordinaire. Une aventure spéciale. Je suis l'agent secret qui protège Alexandre D'amour des écueils amoureux qui se dressent sur son passage.

Incapable de me remettre à mes devoirs, je pianote des réponses sur mon clavier. Une, puis deux, puis trois. Pas question que Miss Wasabi parle de Valentine à Alexandre. Non. Il est trop tôt. Yuki s'y connaît au rayon des stratégies amoureuses. De plus, elle est jolie, intéressante, sensuelle... autant d'atouts qui lui confèrent un talent naturel pour conquérir les hommes qu'elle désire.

À l'image de Cyrano qui se cache derrière le beau Christian pour conter fleurette à Roxane, je perds ma timidité. Mais que lui dire? Je feuillette le classique d'Edmond Rostand, à la recherche de répliques qui ont traversé les siècles.

« Ah! Que pour ton bonheur je donnerais le mien
Quand même tu devrais n'en savoir jamais rien
S'il se pouvait, parfois, que de loin, j'entendisse
Rire un peu le bonheur né de mon sacrifice! »

Hum... Comment dire... Trop intense? Je me lance plutôt dans une missive empreinte de détachement et de mystère, à l'image de ma Yuki Wasabi.

Samouraï D'amour,
Je n'ai pas terminé mon enquête. Je dois

m'assurer que la seule fille qui mérite votre amour
a bel et bien le cœur libre. En attendant, ne portez
aucune attention à vos admiratrices les plus
démonstratives.

Et vlan. Il ne se croira pas irrésistible, quand même. Et ce qui nous échappe est toujours si attirant.

Avant de m'endormir, je repense à lui. Tout a débuté au moment où il s'est mis à s'asseoir systématiquement à mes côtés en classe. Ce sportif émérite a peu de temps pour étudier et se réconforte à l'idée de connaître une sympathique nerd. Allez, n'imaginez rien, j'ai déjà vu le train passer. N'empêche, malgré moi, j'en suis devenue gaga. Il est beau, mais beau. Gentil. Nullement arrogant. Et il me fait rire. Je le fais rigoler aussi, j'ai un côté clown. Petite comique à lunettes. Rien pour faire fantasmer un gars, je sais, je sais.

Le lendemain, au cours de français, je m'installe à côté d'Alexandre, comme d'habitude. Je suis plus réservée que jamais. Sans compter qu'un immense bouton volcanique a fait éruption au centre de ma joue droite. Le genre de colline qui détonne dans le paysage autant qu'une sirène d'ambulance au milieu de la nuit et qui fait que tout le monde nous regarde, figé dans un mélange de crainte et de respect.

Alexandre semble aussi endormi que moi. Il ne remarque même pas le phénomène sismique qui envahit mon visage. Il griffonne des dessins en silence... À la pause, quand la classe s'est vidée, je zyeute ses cahiers. Il a dessiné une geisha! Je prends un crayon et y ajoute une bulle, avec ces paroles : « L'enquête progresse. Les résultats vous seront dévoilés demain soir au party d'Halloween, en personne. Patience. Y. W. »

Je me sauve à la bibliothèque, puis je reviens la dernière dans la salle de classe. Pendant que le professeur livre son savoir, Alexandre me chuchote à l'oreille :

— Tu viens au party d'Halloween chez Émilie, demain ?

— Nop! Je dois garder ma petite sœur.

La réponse a fusé avec assurance. Je me félicite de ma rapidité à trouver un alibi pour ne pas être à la fête demain! Alexandre fronce les sourcils et replonge dans l'étude de son dessin annoté. Il ne se doute de rien! Je reluque l'image dans son cahier, comme si j'étais curieuse (hé! hé!); il la dissimule sous son cartable.

Et maintenant, la suite. Quoi, la suite? Je n'ai pas de plan. Allez, j'improvise. Primo, je vais raconter à Émilie que je ne pourrai pas aller à sa fiesta d'Halloween. Secundo, Marylène, ma meilleure amie, annoncera à Émilie que sa cousine est au village pour le week-end et qu'elle l'accompagnera à la fête. Cette cousine, ce sera moi, déguisée en Miss Wasabi. Telle une apparition fugace, j'arriverai dans un nuage vaporeux, susurrerai quelque chose à l'oreille d'Alexandre (quoi ? aucune idée), puis je quitterai les lieux dans un vent énigmatique. La belle scène de film. Pendant des semaines, Alexandre me cherchera partout, le cœur éploré. Je ne connais pas la fin de cette histoire, mais une chose est certaine : il faut la retarder à tout prix, faire durer les papillons.

Le lendemain soir, je me lance dans l'opération transformation. Perruque de cheveux laqués, visage enduit de crème blanche, bouche rouge redessinée, je complète la métamorphose à l'aide d'un loup de bal costumé afin d'achever de masquer mes traits. Je revêts un kimono, souvenir du voyage de noces de mes parents au Japon, et j'enfile une paire de geta, ces sandales de bois typiques.

J'attends mon père. Dans quelques mois, j'aurai enfin mon permis, mais d'ici là... je dois compter sur lui pour tous mes déplacements. Évidemment, ce soir encore il sera en retard. Il alléguera qu'il souffre d'un handicap temporel, qu'il ne peut rien y faire. Je soupçonne qu'il s'en fout.

Pour passer le temps, je retourne dans Facebook. Mon seul « ami » y a affiché sa citation du jour : « Alexandre est piqué par le wasabi. » Craquant. Que pourrait déclarer mon double ? J'écris : « Yuki considère que le wasabi ne devrait en aucun cas être consommé avec modération. » Ça ne veut rien dire, mais c'est mystérieux, me semble-t-il.

Mon père finit par arriver et on se met en route. Je lui redemande la permission de dormir chez mon amie Marylène, voisine d'Émilie. Il refuse pour une ixième fois. Je boude. J'ai besoin de flexibilité pour mettre mon plan en œuvre. Je réussis au moins à lui arracher une promesse : non seulement il n'entrera pas lorsqu'il viendra me chercher (humiliation qu'il m'a déjà fait subir dans le passé), mais il m'attendra plutôt devant chez Marylène. Je lui téléphonerai lorsque je serai prête. Mon père ne comprend pas pourquoi je complique ainsi le processus du transport, mais je ne lui fournis aucune explication. Si quelqu'un reconnaissait la voiture de mon père, on découvrirait tout de suite qui se cache derrière Miss Wasabi.

Je débarque chez Marylène, qui s'extasie devant mon déguisement. Elle est elle-même fort mignonne en Superwoman, gainée de bleu et de rouge. À petits pas maladroits (j'aurais dû m'exercer à marcher avec ces chaussures décoratives), nous nous rendons chez Émilie. La fête a lieu au sous-sol. Je me faufile parmi les Dracula, Teletubbies et boîtes de viande à chien (il y en a vraiment deux affublés ainsi). Certaines jolies filles se sont furieusement enlaidies pour la soirée : yeux charbonnés, masque vert, dents noircies... J'adore. Marylène me présente comme étant sa cousine Isabelle. Ça fonctionne. Puis Roxane Dubois, l'élève la plus populaire de l'école (belle, drôle, gentille, quel est son défaut ?), apparaît en Paris Hilton peu vêtue, et on m'oublie. J'en suis ravie, car j'ai de la difficulté à me démêler avec une troisième identité. Miss Wasabi, c'était déjà assez sans devoir incarner, en plus, une Isabelle débarquant de Saint-Jean-sur-Richelieu, non ?

Je poursuis l'exploration des lieux. Le sous-sol est bondé. Nous sommes au moins trente ici rassemblés. Malgré la difficulté de ma recherche vu les déguisements, j'élimine les suspects un à un. Un constat s'impose vite : nulle trace de mon favori. Je m'assieds seule dans un coin, désabusée. Où est-il ? Ne désire-t-il pas rencontrer la délicieuse Miss Wasabi ?

La musique s'adoucit et un pirate des Caraïbes masqué, trop petit pour être Alexandre ou Johnny Depp, me tend la main. Mes jambes flanchent. Danser un slow ? Moi ? Je hais le fait que ça ne me soit encore jamais arrivé... Je me laisse donc aller à ce plaisir. Merci, chère geisha.

Je n'en espérais pas tant. Et je compte profiter de toi. Nous dansons pratiquement sur place, ce qui s'avère idéal avec mes sandales. J'ose regarder le pirate, il ne détourne pas les yeux. Je sens un courant qui passe, je suis sous le charme. Puis, comme au cinéma, nos lèvres font mine d'aller les unes vers les autres.

Au milieu du trajet, il murmure: «Tu es Valentine, non?» J'ai envie de pleurer. Comment peut-il savoir qui je suis? J'arrête net la trajectoire du baiser. Je reconnais la voix de Samuel Lauzon. Ce n'est pas mon Alexandre, mais il est mignon et j'ai rêvé de lui tout mon primaire. Il semble dérouté par notre baiser raté. Mue par je ne sais quel courage, je lui prends le menton... et l'embrasse. Il faut le faire, là, maintenant, car y aura-t-il jamais d'autres occasions, avec lui ou avec un autre? Instants divins.

Le baiser terminé, mal à l'aise, incapable de le regarder, je le salue d'un signe de tête. J'ai besoin d'air. Pourquoi ai-je embrassé Samuel, alors que j'aime Alexandre? Je ne me comprends plus. Je me dirige vers l'escalier en contournant moult fantômes et sorcières. Impossible d'avancer décemment avec ces sandales idiotes, mais je m'entête. Je tente de courir, je m'enfarge dans les pans de mon kimono... et m'étends de tout mon long. Mon loup s'est déplacé et ma perruque a abouti sur le plancher...

La grande classe. Je n'ose me retourner. Pas question de voir la tronche de tous, découvrant que la cool cousine Isabelle n'est en fait que la moche Valentine. C'est ce qu'on appelle un plan foireux.

Je sors de la maison et téléphone à mon père avec mon cellulaire; puis je vais l'attendre devant chez Marylène, comme prévu. Celle-ci m'a suivie dehors et me bombarde de questions en rigolant.

— Alors, il embrasse bien, Samuel? Tu l'aimes? Tu vas le revoir?

— Je ne sais pas...

Elle affiche soudainement un air sérieux.

— Je crois qu'il a vraiment le béguin pour toi. Je l'ai entendu parler à Sébastien. Il a reconnu tes yeux turquoise à travers le masque!

Pincez-moi, quelqu'un. Samuel me désirait vraiment, et non la belle geisha? L'idée chemine difficilement dans mon cerveau et je suis incapable d'en discuter plus longuement avec mon amie. Une voiture familière vient me sauver.

— Voilà mon père! Bonne fin de soirée, Marylène!

— Fais de beaux rêves, ajoute-t-elle en clignant de l'œil.

Marylène retourne à la fête en faisant mine de voler avec sa cape de Superwoman. En ouvrant la portière, mon père remarque mes pieds, dont l'un a été libéré d'une sandale lors de ma chute. Il s'énerve, ce qui est rare.

— Ne me dis pas que tu as perdu une geta ? Tu m'avais promis d'y faire attention...

Papa est toujours nostalgique de ce qui lui rappelle son mariage avec ma mère, qui n'a pourtant duré que six ans. J'avale ma salive en lorgnant vers le lieu de la fête, tout près. Le courage m'a abandonnée. Y retourner ainsi, démasquée, est impossible. Mais mon père réclame son bien et tout de suite. Nous reculons jusqu'à la maison d'Émilie. J'y découvre la bicyclette d'Alexandre attachée à la galerie. Il était donc là ? M'a-t-il vue avec Samuel ? Je dresse mentalement l'inventaire des invités... Non, je suis certaine qu'il vient d'arriver.

Justement, il sort de la maison, brandissant fièrement ma sandale. Alexandre est transformé en samouraï, vêtu d'un kimono tout comme moi. Il a rasé son crâne pour l'occasion. Il est complètement dingue ! Je l'adore. Je voudrais disparaître.

— Aaaaah... Voici ton prince charmant, Valentine! s'exclame mon père, soulagé de récupérer son précieux souvenir japonais.

Je sors de la voiture et retrouve un brin de dignité, m'obstinant dans mon rôle de Miss Wasabi, qui n'a désormais plus de secret pour lui. Alexandre se précipite vers moi et me tend la geta. Je lui souris, il me sourit. Je me prosterne à la japonaise, il se prosterne à la japonaise.

Voyez le tableau: moi, avec un pied nu. Le prince Alexandre, ma chaussure à la main. Des citrouilles partout autour de nous, Halloween oblige. Et un carrosse qui m'attend. Alors que j'aime m'identifier aux héros des plus grands drames amoureux, me voici dans un décor de conte bonbon pour fillettes.

Alexandre replace délicatement l'une de mes bouclettes. Je fixe le sol, soudain intimidée, tétanisée. Je me retourne et me dirige vers l'automobile, sans un mot. Mon chauffeur m'attend.

— À bientôt, Valentine?

— Oui, oui, à lundi au cours de maths comme d'habitude, dis-je mécaniquement.

— Oui, au cours de maths comme d'habitude, répète-t-il, désenchanté.

Je m'engouffre dans la voiture. Mon père salue Alexandre et nous partons. Dans le rétroviseur, je vois mon beau samouraï avec une mine toute grise. Il est assis sur le trottoir, la tête entre les mains.

Mon père me remet une missive enveloppée d'un papier aux motifs de sushis.

— Tiens. Ton Japonais est passé à la maison, ce soir. Tous ces kilomètres à vélo, dans le noir ! Il croyait que tu gardais Emma…

Je prends l'enveloppe sans un mot, l'ouvre fébrilement. J'y trouve le croquis qu'il a fait au cours, l'autre jour. À côté de la geisha, il a dessiné un samouraï, qui dit : « Yuki Wasabi, si le cœur de Valentine n'est pas disponible pour Alexandre D'Amour, je serai contraint de me faire harakiri devant vous. Une réponse claire est exigée illico. »

Quelle piètre espionne je fais… Je n'avais même pas modifié mon écriture sur le dessin ! Il semble que je n'aie pas compris le scénario ni bien joué mon rôle. Alexandre savait que Valentine et Miss Wasabi ne faisaient qu'une. Je dois lui parler. Tout de suite.

— Papa, j'ai oublié autre chose chez Émilie.

— Tu le reprends demain ? demande-t-il, agacé.

— Comme tu veux, mais peut-être ne reverras-tu jamais ton éventail *made in* Tokyo !

Il rebrousse chemin sans rouspéter.

Quelle soirée ! Il y a quelques heures, j'étais convaincue que l'amour ne serait jamais pour moi. Et je dois maintenant assumer que j'ai le pouvoir de briser non pas un cœur, mais deux ! Dont celui que je convoite ardemment... Comment vais-je réparer les pots cassés ? La nouvelle mission de Valentine Vézina me semble plus périlleuse que celle de Yuki Wasabi. Catastrophe, il est amoureux.

Les auteures

Mélikah Abdelmoumen est née en 1972. Depuis 2005, elle partage sa vie entre la France et le Québec. Elle est l'auteure, entre autres, des romans *Alia* et *Victoria et le Vagabond* (Marchand de feuilles, 2006 et 2008). Elle a aussi été parolière, scénariste et enseignante. Elle traîne avec elle depuis plus de 15 ans l'aventure des *Sucti*, une histoire d'amour à laquelle elle croira toujours. Elle est heureuse que Rio, Mars et Daniella soient enfin sur le point de trouver leurs lecteurs.

Nelly Arcan est née dans les Cantons de l'Est, où elle a vécu une enfance marquée par de fortes valeurs judéo-chrétiennes. Une sœur lui a enseigné le piano en lui tapant sur les doigts, et elle s'est fait remarquer dans son village natal en remportant plusieurs concours de *lip-sync*. Elle vit aujourd'hui à Montréal, où elle se consacre à l'écriture tout en exerçant le métier de chroniqueuse. Elle a publié à ce jour trois romans, *Putain* (2001), qui a connu un grand succès critique et commercial, *Folle* (2004) et *À ciel ouvert* (2007).

On dit de **Myriam Beaudoin** qu'elle écrit des phrases blanches. On dit aussi que dans ses œuvres *Un petit bruit sec* (Triptyque, 2003) et *Hadassa* (Leméac, 2006, Prix littéraire des collégiens 2007 et Prix des lecteurs France-Québec 2007), il y a un kilo de deuil, deux kilos de ravissement, trois kilos d'amour fou et dix kilos d'humanisme. L'auteure travaille présentement à l'écriture de son troisième roman, cachée au creux des Laurentides.

Fanny Britt, dramaturge (*Couche avec moi (c'est l'hiver)*, 2006), traductrice et adaptatrice de théâtre (*Les aventures de Tom Sawyer*, *L'Odyssée*), est également l'auteure de quelques récits. Elle prépare actuellement un album pour enfants à la courte échelle. Elle aime son petit garçon, la mer, les paroles de chansons country et New York. Son amoureux a un très beau nom qui ressemble à une goutte d'eau...

Née à Montréal en 1975 d'un père pathologiste et pyrotechnicien et d'une mère œnologue, **Marie-Chantale Gariépy** continue, entre ses nombreux voyages, de vivre en toute liberté dans la métropole. Son plus récent roman, *Dredio*, (Marchand de feuilles, 2008), a remporté le Prix Joseph-S.-Stauffer. Cette année, elle a publié à la courte échelle son premier roman pour adolescents, *Un besoin de vengeance*. Elle a fini par se remettre de sa première peine d'amour et se trouve aujourd'hui exactement là où elle rêvait d'être.

Catherine Lalonde a été danseuse, serveuse et vendeuse de jouets et de papiers à lettres pour touristes et futurs mariés. Elle est aussi poète et a signé, entre autres, les suites poétiques *Cassandre* et *Corps étranger* (Québec Amérique, 2005 et 2008). Elle a deux chats (hystériques), un amoureux (adorable), une collection de colocataires exotiques (rares) et un faible pour la pâte à biscuits aux brisures de chocolat (miam). Elle cherche maintenant un nouveau métier à apprendre pour donner plus de corps à sa biographie.

Claudia Larochelle est journaliste à la section Arts et Spectacles du *Journal de Montréal*. Elle tient aussi des chroniques à la télévision et à la radio, tout en amorçant une carrière d'écrivaine. Au cœur de sa vie urbaine trépidante, il lui reste toujours du temps pour se gaver de pâtes et de poutine, pour parler des heures au téléphone avec ses copines, pour caresser ses chats étranges et pour l'amouuuuurrrrrrrr! Sa première flamme s'appelait Michel. Elle a la certitude qu'elle finira sa vie en Sicile auprès d'un homme intelligent et passionné... parce qu'elle le vaut bien!

Corinne Larochelle est née à Trois-Rivières, mais c'est à Québec qu'elle a pris goût aux espaces ouverts et à la vie en altitude. Poète et nouvelliste, elle compare l'écriture à l'art de maîtriser le vertige. Elle est notamment l'auteure du recueil de poésie *Vent debout* (Éditions du Noroît, 2007). Son premier amour s'appelait Charles. *«Nous étions jeunes, terriblement mignons. Il a pris une croquée de mon cœur tout en le laissant intact. Un as! Qu'il soit ici salué.»*

Sophie Lepage a grandi dans un champ, plus précisément sur le chemin Fraserville, à Rivière-du-Loup. En contemplant le Saint-Laurent, elle a eu bien du temps pour rêver aux romans qu'elle écrirait un jour. Elle est l'auteure de *Lèche-vitrine* (Tryptique, 2005), de plusieurs articles (surtout pour le magazine *ELLE*) et de quelques scénarios pour la télé. Sophie gagne maintenant sa vie comme rédactrice Web. Entre son travail et les soirées de salsa, de swing ou de bateau-dragon, elle crée de nouvelles fictions.

Les éditions de la courte échelle inc.
5243, boul. Saint-Laurent
Montréal (Québec) H2T 1S4
www.courteechelle.com

Direction littéraire :
Geneviève Thibault

Révision :
Lise Duquette

Direction artistique :
Thomas Csano

Illustrations :
Julie Morstad

Infographie :
Pige communication

Dépôt légal, 3e trimestre 2008
Bibliothèque nationale du Québec

La courte échelle reconnaît l'aide financière du gouvernement du Canada par l'entremise du Programme d'aide au développement de l'industrie de l'édition pour ses activités d'édition. La courte échelle est aussi inscrite au programme de subvention globale du Conseil des Arts du Canada et reçoit l'appui du gouvernement du Québec par l'intermédiaire de la SODEC.

La courte échelle bénéficie également du Programme de crédit d'impôt pour l'édition de livres — Gestion SODEC — du gouvernement du Québec.

Catalogage avant publication de Bibliothèque et Archives nationales du Québec et Bibliothèque et Archives Canada

Vedette principale au titre :

Premières amours

Pour les jeunes de 13 ans et plus.

ISBN 978-2-89651-096-2

1. Premier amour — Romans, nouvelles, etc. pour la jeunesse. 2. Histoires pour enfants québécoises. 3. Roman québécois — 21e siècle. I. Morstad, Julie.

PS8323.L6P73 2008   jC843'.0850806   C2008-941580-9
PS9323.L6P73 2008

Imprimé au Canada

Sources Mixtes
Groupe de produits issu de forêts bien
gérées et de bois ou fibres recyclés.
FSC www.fsc.org Cert no. SGS-COC-2624
© 1996 Forest Stewardship Council

Achevé d'imprimer en octobre 2008
sur les presses de l'imprimerie Gauvin,
Gatineau, Québec